JN000997

ゲンバの日本語

単語帳

IT

働く外国人のためのことば

一般財団法人海外産業人材育成協会　著

スリーエーネットワーク

Published by 3A Corporation.
Trusty Kojimachi Bldg., 2F, 4, Kojimachi 3-Chome, Chiyoda-ku, Tokyo 102-0083, Japan

ISBN978-4-88319-901-3 C0081

First published 2022
Printed in Japan

はじめに

本書は、外国人材の就労や技術研修生の研修などで必要となる「現場のことば」を集めました。働く現場では、「納期」「組み立てる」「5S」といった一般向けの日本語教材では学習しないことばが飛び交っています。本書は、それらのことばを日本語学習の初級者でも学習できることを目指して、必要最小限のことばを厳選し、効率よく学べる工夫をしました。ぜひ、すきま時間にさっと取り出して、ゲンバのことばを覚えてください！

Preface

This book contains workplace words needed for purposes such as employment of non-Japanese workers and training of technical trainees. Words not covered in ordinary Japanese learning materials, such as "the delivery date," "assemble," and "5S," are used often in the workplace. Intended to help even beginner learners of Japanese learn such words, this book has been designed to enable efficient learning by carefully selecting only the minimum words necessary. Readers are encouraged to refer to it in their spare moments to learn workplace terminology.

前言

本书收集了外国人才就业和技术进修生的研修等所需的"现场用语"。在工作现场，"交货期"、"组装"、"5S"等面向一般人的日语教材中无需学习的用语层出不穷。本书为了提高学习效率，并且让日语学习的初学者也有机会学习这些用语，在必要最小限度的范围内进行了精选。请一定要活用间隙时间，使用本书牢记各种现场用语！

Lời nói đầu

Quyển sách này tập hợp các "từ vựng tại hiện trường làm việc" cần thiết dành cho lao động người nước ngoài làm việc tại Nhật Bản và tu nghiệp sinh, v.v... Tại hiện trường làm việc, bạn sẽ thường xuyên nghe thấy những từ vựng chưa từng được học trong các giáo trình tiếng Nhật thông thường, chẳng hạn như "thời hạn giao hàng/hạn chót", "lắp ráp", "5S". Trong quyển sách này, chúng tôi đã chọn lọc kỹ các từ vựng tối thiểu cần thiết và tốn nhiều công sức biên soạn để người học có thể học với hiệu quả cao, nhằm mục đích để ngay cả người học tiếng Nhật trình độ sơ cấp cũng có thể học được những từ vựng đó. Vào những khoảng thời gian rảnh rỗi, bạn hãy tranh thủ lấy sách này ra và cố gắng học, nhớ các từ vựng của nơi làm việc nhé!

คำนำ

แบบเรียนฉบับนี้ ได้รวบรวม “คำศัพท์ที่ใช้ในสถานที่ทำงาน” ที่จำเป็นต่อการสมัครงานของบุคลากรต่างชาติ หรือ ผู้ฝึกอบรมทางด้านเทคโนโลยี ตัวอย่างเช่น เรื่องเกี่ยวกับ “กำหนดการส่งมอบ” “ประกอบ” “5S” อยู่รายรอบตัว ซึ่งเป็นคำพูดที่ศึกษาไม่ได้จากแบบเรียนภาษาญี่ปุ่นทั่วไป เอกสารนี้มุ่งหวังให้สามารถศึกษาคำเหล่านั้นได้แม้จะเป็นผู้ศึกษาภาษาญี่ปุ่นเบื้องต้น โดยได้คัดเลือกคำที่อย่างน้อยจำเป็นต้องศึกษาและประยุกต์ให้สามารถศึกษาได้อย่างมีประสิทธิภาพ ขอให้หยิบออกมาในเวลาว่าง แล้วจดจำคำพูดในสถานที่ทำงานให้ได้กัน!

Pendahuluan

Buku ini mengumpulkan “kata-kata lapangan” yang dibutuhkan dalam pekerjaan oleh sumber daya manusia orang asing atau peserta pelatihan teknis. Di lapangan kerja banyak terdapat kata-kata seperti “waktu pengiriman/batas waktu,” “merakit”, “5R” yang tidak dipelajari dalam buku pelajaran Bahasa Jepang untuk umum. Buku ini bertujuan agar para pemula yang belajar Bahasa Jepang dapat mempelajari kata-kata tersebut, dengan memilih secara selektif kata-kata minimal yang dibutuhkan dengan dirancang secara efisien untuk belajar. Ayo gunakan waktu senggang untuk menghafal kata-kata lapangan!

ဦးစွာ

ဤစာအုပ်တွင် နိုင်ငံခြားသား လူ့စွမ်းအားအရင်းအမြစ်များ အလုပ်လုပ်ခြင်း၊ နည်းပညာလေ့ကျင့်ရေးသင်တန်းသားများ၏ လေ့ကျင့်ရေးတွင် လိုအပ်သော “အလုပ်ခွင်သုံး စကားလုံးများ” ကို စုစည်းထားသည်။ အလုပ်လုပ်သော နေရာတွင် “ပေးပို့ရမည့်အချိန်” “တပ်ဆင်ခြင်း” “5S” ဟုဆိုသည့် အများသုံး ဂျပန်ဘာသာစကားသင်ထောက်ကူတွင် မသင်ခဲ့ရသော စကားလုံးများ ထွက်လာတတ်သည်။ ဤစာအုပ်တွင် အဆိုပါ စကားလုံးများကို ဂျပန်ဘာသာစကား သင်ယူဆဲဖြစ်သော အခြေခံသင်ယူနေသူများပါ သင်ယူနိုင်ရန် ရည်ရွယ်၍၊ အနည်းဆုံးလိုအပ်သည့် စကားလုံးများကို သေသေချာချာ ရွေးချယ်ထားကာ၊ ထိထိရောက်ရောက် သင်ယူနိုင်ရန် ဖန်တီးထားသည်။ အချိန်ရသည်နှင့် ထုတ်ကာ အလုပ်ခွင်သုံး စကားလုံးများကို သေချာပေါက် မှတ်သားထားပါ။

目次 Contents 目录 Mục lục สารบัญ Daftar isi မာတိကာ

パート 2　分野別語彙（ぶんやべつごい）　IT（あいてぃー）

Part 2　Sectoral Vocabulary　IT / 第 2 部分　各领域词汇　IT
Phần 2　Từ vựng theo lĩnh vực　IT / ส่วนที่ 2　คำศัพท์เฉพาะสาขา　IT
Bagian 2　Kosakata Tiap Bidang　IT / အပိုင်း 2　ကဏ္ဍအလိုက်ဝေါဟာရများ　IT

本書を使用される方へ

本書の特長

①入門者・初級前半の人も学びやすい例文

・初級前半の文型（*）を使用

・20 文字程度で理解しやすい

・ＩＴのゲンバを想定した表現

（*）『みんなの日本語　初級Ⅰ』20 課までの文型を使用。一部よく使う表現に限り例外あり。

② 6 言語による翻訳付き

英語・中国語・ベトナム語・タイ語・インドネシア語・ミャンマー語を掲載。多国籍クラスで使用可能。

③必要なところから学習できる構成

・「共通基礎語彙」136 語（業種を問わず働く現場で共通して使うことば）

・「分野別語彙」145 語（ＩＴで使うことば）

さらに、それぞれトピックごとにまとめて掲載。

補助教材

①練習問題

スリーエーネットワークのウェブサイトに練習問題（PDF 形式）があります。ことばの使い方を練習しましょう。

②アプリ

見出し語の意味と、音声を確認できるアプリがあります。音声は無料で聞けますので、ぜひ聞いてみましょう。

https://www.3anet.co.jp/np/books/4238/

本書の使い方

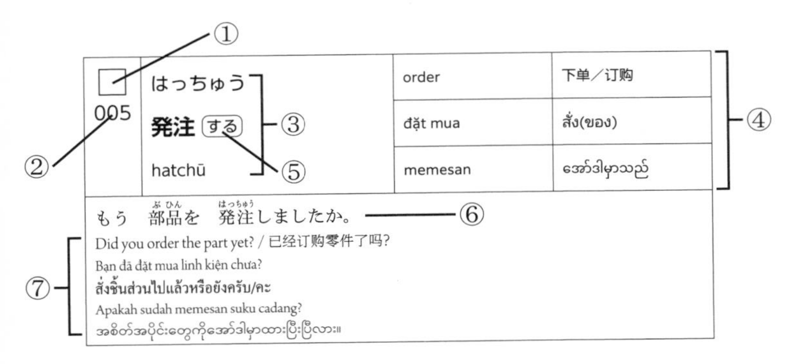

①覚えたものをチェックしたり、必要な語彙にしるしを付けたりするのに使います。

② 001 から 281 まであります。

③覚えることばです。

④見出し語の各国語訳です。英語、中国語、ベトナム語、タイ語、インドネシア語、ミャンマー語があります。

⑤「する」を付けて、動詞としてもよく使われる名詞です。

⑥見出し語を使った例文です。

⑦例文の各国語訳です。

学習方法の例

①ことばの意味を確認しましょう。アプリの音声を聞いて発音してみましょう。

②例文を読みましょう。

③翻訳を見て、例文の意味やことばの使い方を確認しましょう。

④使えそうな例文は、何度も発音して覚えましょう。

⑤ウェブサイトにある練習問題をやってみましょう。

To users of this book

This book's strong points

① Its example sentences make study easier for introductory-level and lower-elementary-level learners.

・Uses sentence patterns at the lower-elementary level *
・Easy-to-understand sentences of about 20 or characters
・Expressions suited to IT workplaces

* Uses sentence patterns from lessons 1-20 of『みんなの日本語　初級Ⅰ』. Some common expressions are exceptionally used.

② Includes translations into six languages

Includes English, Chinese, Vietnamese, Thai, Indonesian, and Myanmar translations. Suitable for use in multinational classes.

③ Its structure is intended to let learners start with the knowledge they need.

・136 common basic vocabulary (words used commonly in workplaces in any industry)
・145 Sectoral Vocabulary (words used in IT)

Lessons also are grouped by topic.

Supplementary learning materials

① Practice question

Practice questions (in PDF format) are available on the 3A Corporation website. Use them to practice using the words.

② APP

Use the app to check the meanings and pronunciations of headwords. As you can listen to the audio content for free, be sure to use it.

https://www.3anet.co.jp/np/books/4238/

Using this book

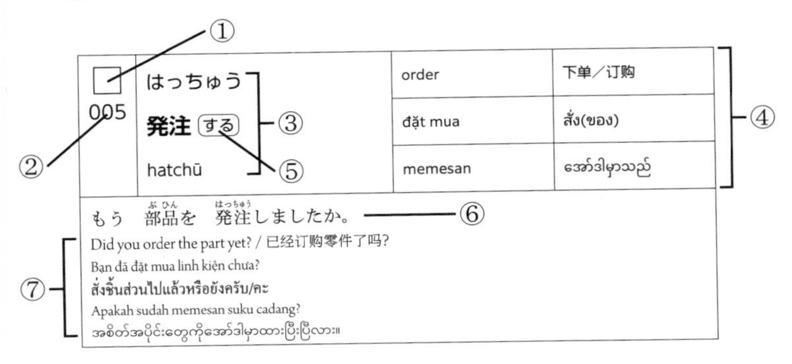

① Check the box if you have learned the word or to mark a word you need to learn.

② Words are numbered from 001 to 281.

③ The word to learn

④ The headword is translated into the English, Chinese, Vietnamese, Thai, Indonesian, and Myanmar languages.

⑤ Nouns often used as verbs by adding "する (-suru)."

⑥ An example sentence using the words.

⑦ The example sentence is translated into multiple languages.

Example learning method

① Check the meaning of the word. Listen to the audio and try to pronounce it.

② Read the example sentence.

③ Look at the translation and check the meaning and how the word is used in the example sentence.

④ Memorize the example sentence if it seems useful, by pronouncing it repeatedly.

⑤ Try the practice questions on the Web.

致本书学习者

本书的特点

①入门者及初级前期的人也容易学习的例句

・使用初级前期的句型（*）

・例文字数均在 20 字左右，更容易理解

・符合 IT 现场的表现

（*）使用『みんなの日本語(にほんご)　初級(しょきゅう) I』前 20 课的句型。部分常用的表现有例外的情况。

②附带 6 种语言翻译

刊载有英语・中文・越南语・泰语・印度尼西亚语・缅甸语。可在多国籍班使用。

③可以从需要的地方开始学习的结构

・"通用基础词汇" 136 个词（不分行业在工作现场通用的词汇）

・"各领域词汇" 145 个词（在 IT 使用的词汇）

此外，还分别按主题汇总刊载。

辅助教材

①练习题

3A 的网站上有练习题（PDF 格式）。让我们来练习使用词汇吧。

②应用程序

有可以确认词条的意思和发音的应用程序。可免费听发音，所以请务必试试。

https://www.3anet.co.jp/np/books/4238/

本书的使用方法

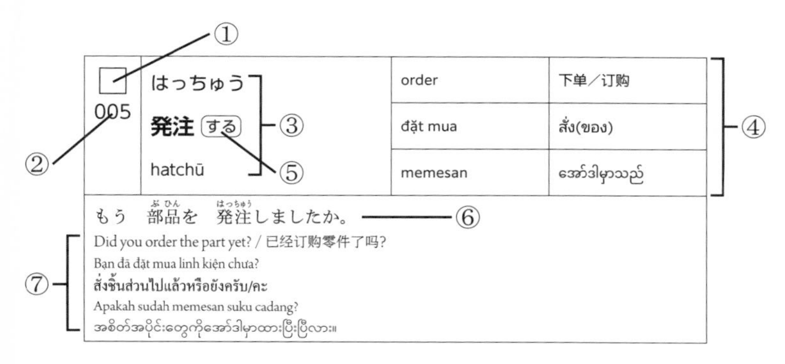

①勾选已经记住的词汇，在必要的词汇上做记号。
② 001 到 281。
③记住的词汇。
④词条的各国语言翻译。有英语、中文、越南语、泰语、印度尼西亚语和缅甸语。
⑤加上“する”，可以当作动词使用的名词。
⑥使用词条的例句。
⑦例句的各国语言翻译。

学习方法的例子

①确认词汇的意思。听语音练习发音。
②读例句。
③读阅译文，确认例句的意思和词汇的使用方法。
④觉得可以用到的例句，要反复发声读出来记忆。
⑤做网络练习题。

Gởi đến các bạn sử dụng tài liệu này

Đặc trưng của quyển sách này

① Các câu ví dụ dễ học đối với cả người mới bắt đầu học và người đã học nửa đầu trình độ sơ cấp

- Sử dụng mẫu câu (*) của nửa đầu trình độ sơ cấp
- Câu ví dụ dễ hiểu, khoảng 20 ký tự
- Những câu nói được đặt trong tình huống là hiện trường làm việc của IT

(*) Sử dụng các mẫu câu ở trong bài 1 đến bài 20 của giáo trình『みんなの日本語初級Ⅰ』. Chỉ có ngoại lệ ở một số câu nói thường dùng

② Có kèm theo bản dịch của 6 thứ tiếng

Bao gồm tiếng Anh, tiếng Trung., tiếng Việt, tiếng Thái, tiếng Indonesia, và tiếng Myanmar. Có thể sử dụng trong lớp học đa quốc tịch.

③ Cấu trúc sách giúp bạn có thể học từ những điểm cần thiết

- "Từ vựng cơ bản thông thường": 136 từ (từ vựng phổ thông được sử dụng tại nhiều hiện trường làm việc bất kể ngành nghề)
- "Từ vựng theo lĩnh vực": 145 từ (từ vựng sử dụng trong IT)

Ngoài ra, chúng tôi còn biên soạn tập trung theo từng chủ đề.

Giáo trình bổ trợ

① Bài luyện tập

Các bài luyện tập (định dạng PDF) được đăng tải trên trang web của 3A Corporation. Bạn hãy thường xuyên luyện tập cách sử dụng các từ vựng nhé.

② Phần mềm ứng dụng

Chúng tôi có một phần mềm ứng dụng giúp bạn xác nhận ý nghĩa và cách phát âm của từ vựng. Ứng dụng này hỗ trợ nghe âm thanh miễn phí nên bạn hãy tận dụng để nghe thử cách đọc nhé.

https://www.3anet.co.jp/np/books/4238/

Cách sử dụng quyển sách này

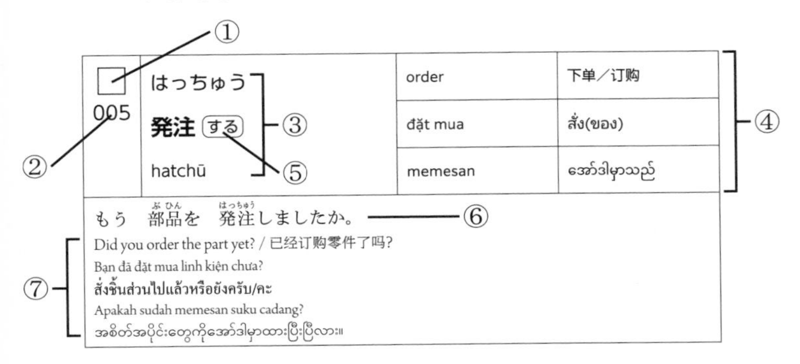

① Sử dụng cột này để kiểm tra những từ đã ghi nhớ hoặc đánh dấu vào các từ vựng cần thiết.

② Các từ vựng được đánh số từ 001 đến 281.

③ Đây là từ vựng để bạn ghi nhớ.

④ Đây là bản dịch của từ vựng sang các thứ tiếng. Chúng tôi có bản dịch tiếng Anh, tiếng Trung, tiếng Việt, tiếng Thái, tiếng Indonesia và tiếng Myanmar.

⑤ Đây là danh từ và sẽ thường được sử dụng như động từ khi gắn thêm "する".

⑥ Đây là câu ví dụ có sử dụng từ vựng được đề cập.

⑦ Đây là bản dịch câu ví dụ sang các thứ tiếng.

Ví dụ về phương pháp học

① Hãy nghe cách phát âm trên phần mềm ứng dụng và cố gắng đọc lại nhé

② Đọc câu ví dụ.

③ Xem bản dịch để xác nhận ý nghĩa của câu ví dụ và cách sử dụng từ vựng.

④ Đối với câu ví dụ có thể sử dụng tại nơi làm việc, đọc lên nhiều lần để ghi nhớ.

⑤ Thử làm bài luyện tập trên trang web.

ถึงผู้ใช้ตำราเล่มนี้

จุดเด่นของแบบเรียนนี้

① มีตัวอย่างประโยคที่เรียนรู้ได้ง่ายทั้งผู้ที่เพิ่งเริ่มเรียน·ผู้ที่เรียนในระดับชั้นต้น

- ใช้รูปประโยคที่มาจาก (*) ตำราเรียนระดับชั้นต้นครึ่งแรก
- เข้าใจได้ง่ายเพราะใช้อักษรประมาณ 20 ตัว
- ใช้สำนวนที่ตั้งสมมติฐานจากสถานที่ทำงานIT

(*) ใช้รูปประโยคที่มีอยู่ถึงบทที่ 20 ในตำราเรียน『みんなの日本語(にほんご)　初級(しょきゅう) I』ยกเว้นแต่เฉพาะบางสำนวนที่มีการใช้บ่อยแค่ส่วนหนึ่งเท่านั้น

② มีการแปล 6 ภาษา

พร้อมด้วย ภาษาอังกฤษ·ภาษาจีน·ภาษาเวียดนาม·ภาษาไทย·ภาษาอินโดนีเซีย·ภาษาเมียนมา สามารถใช้ในห้องเรียนหลากสัญชาติได้

③ มีโครงสร้างที่สามารถเริ่มเรียนได้จากจุดที่จำเป็น

- “คำศัพท์พื้นฐานทั่วไป” 136 คำ (คำที่ใช้ร่วมกันในสถานที่ทำงานโดยไม่แบ่งแยกประเภทงาน)
- “คำศัพท์เฉพาะทาง” 145 คำ (คำที่ใช้ในง IT)

นอกจากนี้ ยังได้มีการรวบรวมเนื้อหาโดยแบ่งออกเป็นหัวเรื่องต่าง ๆ ในการจัดพิมพ์ด้วย

สื่อการเรียนเสริม

① แบบฝึกหัด

มีแบบฝึกหัด (รูปแบบไฟล์ PDF) ในเว็บไซต์ 3A Corporation มาฝึกฝนวิธีใช้คำกันเถอะ

② แอปพลิเคชัน

มีแอปพลิเคชันที่ใช้ตรวจสอบความหมายของคำหลักและฟังเสียงได้ โดยสามารถฟังเสียงได้ฟรี เชิญลองฟังกันดู

https://www.3anet.co.jp/np/books/4238/

วิธีใช้แบบเรียนนี้

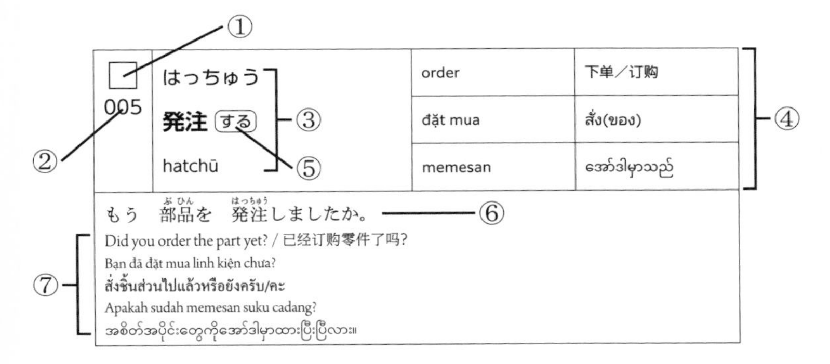

① ใช้สำหรับเช็คเรื่องที่จำได้แล้ว หรือทำเครื่องหมายตรงคำศัพท์ที่จำเป็น
② มีตั้งแต่ 001 ถึง 281
③ เป็นคำที่ต้องจำ
④ การแปลคำหลักเป็นแต่ละภาษา โดยมีภาษาอังกฤษ, ภาษาจีน, ภาษาเวียดนาม, ภาษาไทย, ภาษาอินโดนีเซีย, ภาษาเมียนมา
⑤ คำนามที่มักใช้เป็นคำกิริยาโดยการเติม「する (suru/ทำ)」
⑥ ประโยคตัวอย่างที่ใช้คำหลัก
⑦ การแปลประโยคตัวอย่างในแต่ละภาษา

ตัวอย่างวิธีการศึกษา

① ตรวจสอบความหมายของคำ ฟังเสียงจากแอปพลิเคชันแล้วลองออกเสียง
② อ่านประโยคตัวอย่าง
③ ดูการแปลและตรวจสอบความหมายของประโยคตัวอย่างหรือวิธีใช้คำ
④ สำหรับประโยคตัวอย่างที่น่าจะใช้งานได้ ให้ออกเสียงบ่อย ๆ แล้วจดจำ
⑤ ลองทำแบบฝึกหัดในเว็บไซต์

Untuk orang yang menggunakan buku ini

Kelebihan buku ini

① Contoh kalimat mudah dipelajari oleh pembelajar tingkat pemula atau tingkat dasar pertengahan awal

- Memakai pola kalimat (*) tingkat dasar pertengahan awal
- Mudah dipahami karena hanya sekitar 20 huruf
- Ungkapan yang mengasumsikan lapangan kerja IT

(*) Memakai pola kalimat『みんなの日本語　初級Ⅰ』sampai pelajaran ke-20. Terdapat pengecualian untuk sebagian ungkapan yang sering dipakai.

② Ada terjemahan dalam 6 bahasa

Menampilkan Bahasa Inggris, China, Vietnam, Thailand, Indonesia, dan Myanmar. Dapat dipergunakan untuk kelas dengan peserta dari berbagai macam kewarganegaraan.

③ Struktur pembelajaran yang dapat dimulai dari bagian yang dibutuhkan

- "Kosakata dasar umum" 136 kata (Kata-kata yang umum dipakai di lapangan kerja tanpa melihat jenis industri)
- "Kosakata tiap bidang" 145 kata (Kata-kata yang dipakai di IT)

Bahan ajar pembantu

① Soal latihan

Di situs 3A Corporation tersedia soal latihan (format PDF). Ayo belajar cara pemakaian kata-kata.

② Aplikasi

Terdapat aplikasi untuk mengecek arti dari kata pokok dan suara. Suara dapat didengar secara gratis, ayo coba mendengarkan.

https://www.3anet.co.jp/np/books/4238/

Cara penggunaan buku

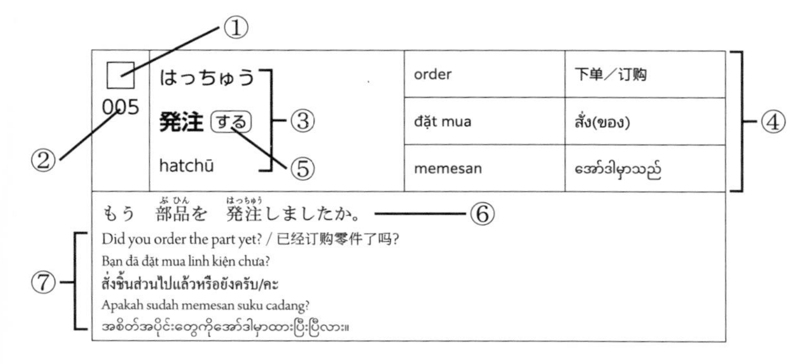

① Dipakai untuk mengecek yang telah dihafal, atau menandai kosakata yang dibutuhkan.

② Dari 001 sampai 281.

③ kata-kata yang akan dihafal.

④ Terjemahan tiap bahasa untuk kata pokok. Terdapat Bahasa Inggris, China, Vietnam, Thailand, Indonesia, dan Myanmar.

⑤ Kata benda yang sering dipakai juga sebagai kata kerja dengan menambahkan「する (suru)」.

⑥ Contoh kalimat yang memakai kata pokok.

⑦ Terjemahan tiap bahasa untuk contoh kalimat.

Contoh metode pembelajaran

① Memeriksa arti kata-kata. Dengarkan suara di aplikasi dan coba ucapkan.

② Membaca contoh kalimat.

③ Melihat terjemahan, memeriksa arti contoh kalimat dan cara penggunaan kata-kata.

④ Menghafal contoh kalimat yang dapat dipakai dengan mengucapkannya berkali-kali.

⑤ Mencoba soal latihan yang ada di Website.

ဤစာအုပ်ကိုလေ့လာသုံးစွဲမည့်သူများသို့

ဤစာအုပ်၏ ထူးခြားချက်များ

(၁) စတင်သင်ကြားမည့်သူများ၊ အခြေခံသင်ယူနေသူများလည်း သင်ယူလွယ်သော သာဓကစာကြောင်းများ

- အခြေခံသင်ယူနေသူများ နားလည်နိုင်မည့် စာကြောင်းပုံစံ(*) များကို အသုံးပြုထားခြင်း
- စာလုံး ၂၀ ခန့်ဖြစ်ပြီး နားလည်လွယ်ခြင်း
- IT လုပ်ငန်းနေရာကို ကြံဆထားသောဖော်ပြချက်များ

(*)『みんなの日本語　初級 I』အခန်း ၂၀ အထိမှ စာကြောင်းပုံစံများကို အသုံးပြုထားခြင်း။ ခြွင်းချက်အနေနှင့် တချို့သင်ခန်းစာများမှ မကြာခဏ အသုံးပြုသော အသုံးအနှုန်းဖော်ပြချက် များပါရှိပါသည်။

(၂) ဘာသာစကား ၆မျိုးဖြင့် ဘာသာပြန်ပါရှိခြင်း

အင်္ဂလိပ်ဘာသာ၊ တရုတ်ဘာသာ ၊ ဗီယက်နမ်ဘာသာ၊ ထိုင်းဘာသာ၊ အင်ဒိုနီးရှားဘာသာ၊ မြန်မာဘာသာများဖြင့် ထည့်သွင်းထားသည်။ ဘာသာပေါင်းစုံ အတန်းတွင် အသုံးပြုနိုင်သည်။

(၃) လိုအပ်သည့်နေရာမှ သင်ယူနိုင်သော ဖွဲ့စည်းပုံ

- "အများသုံးအခြေခံဝေါဟာရများ" ၁၃၆ လုံး (လုပ်ငန်းအမျိုးအစားနှင့် မသက်ဆိုင်ဘဲ အလုပ်လုပ်သော နေရာတွင် အများအသုံးပြုနေသော ဝေါဟာရများ)
- "ကဏ္ဍအလိုက်ဝေါဟာရများ" ၁၄၅ လုံး (IT လုပ်ငန်းတွင် အသုံးပြုနေသော ဝေါဟာရများ)

ထို့အပြင် ခေါင်းစဉ်အသီးသီးတွင် တစ်ခုချင်းစီကို စုစည်း၍ ဖြည့်သွင်းထားခြင်း။

သင်ထောက်ကူပစ္စည်းများ

(၁) လေ့ကျင့်ခန်းမေးခွန်း

3-A ကော်ပိုရေးရှင်း ၏ ဝက်ဘ်ဆိုဒ်တွင် လေ့ကျင့်ခန်းမေးခွန်း (PDF ဖြင့်) များ ရှိသည်။ ဝေါဟာရ အသုံးပြုပုံကို လေ့ကျင့်ကြရအောင်။

(၂) App

ခေါင်းစဉ်စာလုံး၏အဓိပ္ပါယ်နှင့် အသံထွက်ကို အတည်ပြုနိုင်သော App ရှိသည်။ အသံထွက်ကို အခမဲ့နားထောင်နိုင်၍ သေချာပေါက် နားထောင်ကြည့်ရအောင်။

https://www.3anet.co.jp/np/books/4238/

ဤစာအုပ်ကို အသုံးပြုပုံ

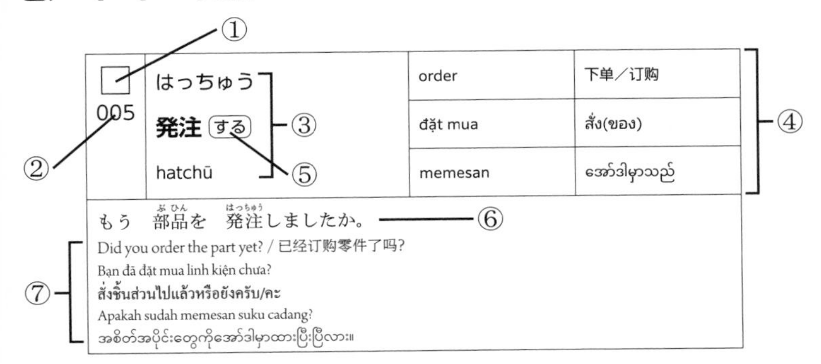

(၁) ကျက်မှတ်ထားသည်များကို စစ်ဆေးခြင်း၊ လိုအပ်သော ဝေါဟာရများတွင်အမှတ်အသား ထားခြင်းများတွင် အသုံးပြုနိုင်သည်။
(၂) ၀၀၁ မှ ၂၈၁ အထိရှိသည်။
(၃) ကျက်မှတ်ထားရန် ဝေါဟာရများ ဖြစ်သည်။
(၄) ခေါင်းစဉ်စာလုံးကို ဘာသာအသီးသီးသို့ ပြန်ဆိုထားခြင်းဖြစ်သည်။ အင်္ဂလိပ်ဘာသာ၊ တရုတ်ဘာသာ၊ ဗီယက်နမ်ဘာသာ၊ ထိုင်းဘာသာ၊ အင်ဒိုနီးရှားဘာသာ၊ မြန်မာဘာသာများ ပါဝင်သည်။
(၅) "する (ပြုလုပ်ခြင်း)" ကိုဆက်၍ ကြိယာအနေဖြင့်လည်း မကြာခဏသုံးသော နာမ်ဖြစ်သည်။
(၆) ခေါင်းစဉ်စာလုံးကိုအသုံးပြုထားသော သာဓကစာကြောင်းများဖြစ်သည်။
(၇) သာဓကစာကြောင်းများကို ဘာသာအသီးသီးသို့ ပြန်ဆိုထားခြင်းဖြစ်သည်။

လေ့ကျင့်ရေးသဒ္ဒါများအတွက် သာဓကစာကြောင်းများ

(၁) စကားလုံး၏ အဓိပ္ပာယ်ကို အတည်ပြုကြရအောင်။ Application၏အသံထွက်ကို နားထောင်၍ အသံထွက်ဖတ်ကြည့်ရအောင်။
(၂) သာဓကစာကြောင်းကို ဖတ်ကြည့်ရအောင်။
(၃) ဘာသာပြန်ကိုကြည့်ပြီး သာဓကစာကြောင်း၏ အဓိပ္ပာယ်နှင့် စကားလုံးအသုံးပြုပုံများကို အတည်ပြုကြရအောင်။
(၄) အသုံးပြုနိုင်သော သာဓကစာကြောင်းများကို အကြိမ်ကြိမ် အသံထွက်ဖတ်ပြီး ကျက်မှတ်ရအောင်။
(၅) Websiteတွင်ရှိသော လေ့ကျင့်ရေးမေးခွန်းများကို လေ့ကျင့်ကြရအောင်။

自分に関する語彙

Vocabulary related to yourself / 有关自身的词汇 / Từ vựng liên quan đến bản thân
คำศัพท์ที่เกี่ยวข้องกับตัวเอง / Kosakata terkait Diri Sendiri / မိမိနှင့်ဆက်စပ်မှုရှိသည့် ဝေါဟာရများ

1．あなたの名前

Your name / 你的名字 / Tên của bạn / **ชื่อของคุณคือ** / Nama Anda / အမည်

2．あなたのニックネーム

Your nickname / 你的昵称 / Biệt danh của bạn / **ชื่อเล่นของคุณคือ** / Nama Panggilan Anda / အမည်ပြောင်

3．日本で研修する会社の名前／日本で働く会社の名前

Name of the company in Japan where you will be trained or work
在日本接受培训的公司名称或在日本工作的公司名称
Tên công ty nơi bạn được đào tạo tại Nhật Bản. Tên công ty nơi bạn làm việc tại Nhật Bản
ชื่อบริษัทที่จะเข้ารับการฝึกอบรมในญี่ปุ่น, ชื่อบริษัทที่จะเข้าทำงานในญี่ปุ่น
Nama perusahaan tempat pelatihan di Jepang, Nama perusahaan tempat bekerja di Jepang
ဂျပန်နိုင်ငံတွင် ပညာလေ့လာသင်ယူမည့် ကုမ္ပဏီ၏အမည်၊ ဂျပန်နိုင်ငံတွင် တာဝန်ထမ်းဆောင်မည့် ကုမ္ပဏီ၏အမည်

4．どこで研修しますか。どこで働きますか。都道府県・都市名を書いてください。

Where will you be trained? Where will you work? Write down the name of the prefecture and city.
你在哪里接受培训？　在哪里工作？　请填写都道府县和都市名。
Bạn sẽ được đào tạo ở đâu? Bạn sẽ làm việc ở đâu? Vui lòng viết tên của các tỉnh, thủ đô hoặc tên các thành phố lớn.
คุณฝึกอบรมหรือทำงานที่ใด กรุณาเขียนชื่อจังหวัด/เมือง
Di mana Anda akan mengikuti pelatihan? Di mana Anda akan bekerja? Tuliskan nama prefektur dan kotanya.
မည်သည့်ဒေသတွင် လေ့ကျင့်ရေးပြုလုပ်မည်နည်း။ မည်သည့်ဒေသတွင် တာဝန်ထမ်းဆောင်မည်နည်း။ ခရိုင်ဒေသအလိုက်၊ မြို့အမည်ကို ရေးသွင်းပါရန်

例　Example / 例如 / Ví dụ / ตัวอย่าง / Contoh / ဥပမာ

大阪府　大阪市　住吉区

5．どんな技術の研修をしますか。どんな仕事をしますか。

What kind of techniques will you be trained in? What kind of work will you do?
你将接受什么技术培训？　做什么工作？
Bạn sẽ được đào tạo kỹ thuật gì? Bạn sẽ làm công việc gì?
คุณฝึกอบรมทางเทคโนโลยีในสาขาใด คุณทำงานอะไร
Pelatihan teknis seperti apa yang akan Anda ikuti? Pekerjaan seperti apa yang akan Anda lakukan?
မည်သည့်နည်းပညာကို လေ့ကျင့်ရေးပြုလုပ်မည်နည်း။ မည်သို့သောအလုပ်ကို လုပ်ကိုင်မည်နည်း။

例　Example / 例如 / Ví dụ / ตัวอย่าง / Contoh / ဥပမာ

サーバー構築

6．あなたの会社の主要な製品やサービスは何ですか。

What are your company's major products or services?
你的公司主要产品或服务是什么？
Sản phẩm hoặc dịch vụ chủ yếu của công ty bạn là gì?
ผลิตภัณฑ์หรือบริการหลักของบริษัทคุณคืออะไร
Apa produk maupun jasa utama dari perusahaan Anda?
သင့်ကုမ္ပဏီ၏ အဓိကထုတ်ကုန်နှင့် ဝန်ဆောင်မှုသည် မည်သည်ဖြစ်သနည်း။

例　Example / 例如 / Ví dụ / ตัวอย่าง / Contoh / ဥပမာ

システム開発・保守

パート 1　共通基礎語彙（きょうつうきそごい）

Part 1　Common basic vocabulary
第 1 部分　通用基础词汇
Phần 1　Từ vựng cơ bản thông dụng
ส่วนที่ 1　คำศัพท์พื้นฐานทั่วไป
Bagian 1　Kosakata Dasar Umum
အပိုင်း 1　အများသုံးအခြေခံ ဝေါဟာရများ

ユニット 1

生産管理(せいさんかんり)

Production management	生产管理
Quản lý sản xuất	การควบคุมการผลิต
Manajemen Produksi	ထုတ်လုပ်မှုစီမံခန့်ခွဲခြင်း

□ 001	ぎじゅつ **技術** gijutsu	technique/technology	技术
		công nghệ	เทคโนโลยี
		teknik/teknologi	နည်းပညာ

日本(にほん)の　技術(ぎじゅつ)を　覚(おぼ)えて　国(くに)へ　帰(かえ)ります。

I will learn Japanese techniques and then return to my home country. / 掌握日本的技术回国。

Tôi sẽ học hỏi tích lũy công nghệ của Nhật Bản và về nước.

จะจดจำเทคโนโลยีของญี่ปุ่น แล้วนำกลับไปยังประเทศบ้านเกิดครับ/ค่ะ

Pulang ke negara asal setelah mempelajari teknologi Jepang.

ဂျပန်၏နည်းပညာများကိုသင်ယူပြီး နိုင်ငံသို့ပြန်ပါမည်။

□ 002	ひんしつ **品質** hinshitsu	quality	品质
		chất lượng	คุณภาพ
		kualitas/mutu	အရည်အသွေး

ABC 社(しゃ)の　製品(せいひん)は　品質(ひんしつ)が　いいですね。

ABC's products are high quality. / ABC 公司的产品质量很好啊。

Sản phẩm của công ty ABC có chất lượng tốt nhỉ.

ผลิตภัณฑ์ของบริษัท ABC มีคุณภาพดีนะครับ/คะ

Produk perusahaan ABC berkualitas baik, ya.

ABCကုမ္ပဏီရဲ့ ထုတ်ကုန်တွေက အရည်အသွေးကောင်းတယ်နော်။

□ 003	せいひん **製品** seihin	product	产品
		sản phẩm	ผลิตภัณฑ์
		produk	ထုတ်ကုန်

A 工場(こうじょう)では　電気製品(でんきせいひん)を　作(つく)って　います。

The A Factory manufactures electrical products. / A 工厂生产电器产品。

Nhà máy A sản xuất các sản phẩm điện tử.

ที่โรงงาน A ผลิตเครื่องใช้ไฟฟ้าครับ/ค่ะ

Pabrik A membuat produk elektronik.

Aစက်ရုံတွင် လျှပ်စစ်ထုတ်ကုန်ပစ္စည်းများကို ထုတ်လုပ်လျက်ရှိပါသည်။

□ 004	きのう **機能** する kinō	function	机能／功能
		tính năng	ใช้งานได้/ ฟังก์ชันการใช้งาน
		fungsi/fitur	function

これは　便利な　機能ですね。
This function is useful. / 这是方便的功能啊。
Đây là một tính năng tiện lợi nhỉ.
นี่เป็นฟังก์ชั่นที่สะดวกดีนะครับ/คะ
Ini fitur yang praktis, ya.
ဒါကအဆင်ပြေတဲ့functionပဲနော်။

□ 005	はっちゅう **発注** する hatchū	order	下单／订购
		đặt mua	สั่ง(ของ)
		memesan	အော်ဒါမှာသည်

もう　部品を　発注しましたか。
Did you order the part yet? / 已经订购零件了吗?
Bạn đã đặt mua linh kiện chưa?
สั่งชิ้นส่วนไปแล้วหรือยังครับ/คะ
Apakah sudah memesan suku cadang?
အစိတ်အပိုင်းတွေကိုအော်ဒါမှာထားပြီးပြီလား။

□ 006	せいさん **生産** する seisan	produce	生产
		sản xuất	ผลิต
		memproduksi	ထုတ်လုပ်သည်

毎年　車を　70万台　生産して　います。
We produce 700,000 vehicles each year. / 每年生产 70 万辆汽车。
Chúng tôi sản xuất 700.000 ô tô mỗi năm.
ทุกปีจะผลิตรถยนต์ 7 แสนคันครับ/ค่ะ
Memproduksi 700 ribu unit mobil setiap tahun.
နှစ်စဉ်ကားအစီးရေ7သိန်းကို ထုတ်လုပ်လျက်ရှိပါသည်။

□ 007	せいぞう **製造** する seizō	manufacture	制造
		chế tạo	ผลิต
		memproduksi	ကုန်ထုတ်လုပ်သည်

部品は　タイで　製造して　います。
We manufacture the parts in Thailand. / 零件是在泰国制造。
Chúng tôi chế tạo linh kiện tại Thái Lan.
ผลิตชิ้นส่วนที่ประเทศไทยครับ/ค่ะ
Suku cadang diproduksi di Thailand.
အစိတ်အပိုင်းများကို ထိုင်းတွင် ကုန်ထုတ်လုပ်လျက်ရှိပါသည်။

□ 008	のうき **納期** nōki	the delivery date/ deadline	交货期
		thời hạn giao hàng/ hạn chót	กำหนดส่งมอบ
		waktu pengiriman/ batas waktu	ပေးပို့ရမည့်အချိန်

納期に　遅れないで　ください。
Please be sure it is delivered on time. / 请不要延误交货期。
Vui lòng đừng chậm trễ thời hạn giao hàng.
อย่าส่งงานช้ากว่ากำหนดส่งมอบนะครับ/คะ
Mohon jangan terlambat waktu pengirimannya.
ပေးပို့ရမည့်အချိန်ကို နောက်မကျပါစေနှင့်။

□ 009	しゅっか **出荷** (する) shukka	ship	出货
		xuất (sản phẩm) đi	จัดส่ง(ของ)ออกไป
		mengirim	တင်ပို့သည်

製品を　出荷します。
We ship products. / 产品发货。
Chúng tôi xuất sản phẩm đi.
จะจัดส่งผลิตภัณฑ์ออกไปครับ/ค่ะ
Mengirim produk.
ထုတ်ကုန်များကို တင်ပို့ပါမည်။

009 出荷

□ 010	ざいこ **在庫** zaiko	stock	库存
		tồn kho	สต็อก
		stok	လက်ကျန်ပစ္စည်း

部品の　在庫が　ありません。
Those parts are out of stock. / 零件没有库存。
Không có tồn kho linh kiện.
ชิ้นส่วนในสต็อกไม่มีครับ/ค่ะ
Stok suku cadang tidak ada.
အစိတ်အပိုင်းများရဲ့ လက်ကျန်ပစ္စည်း မရှိပါ။

ユニット 2

せいぞう 製造

Manufacturing	制造
Chế tạo	การผลิต
Manufaktur	ကုန်ထုတ်လုပ်ရေး

□ 011	きかい	machinery	机械
	機械	máy móc	เครื่องจักร
	kikai	mesin	စက်ပစ္စည်း

機械が　故障して　います。
The machinery is broken down. / 机器出故障了。
Máy đang bị hỏng.
เครื่องจักรชำรุดอยู่ครับ/ค่ะ
Mesin rusak.
စက်ပစ္စည်းပျက်နေပါသည်။

□ 012	ぶひん	part	零件
	部品	linh kiện	ชิ้นส่วน
	buhin	suku cadang	ပစ္စည်းအစိတ်အပိုင်း

工場で　車の　部品を　作って　います。
The factory produces auto parts. / 在工厂生产汽车零件。
Chúng tôi chế tạo các linh kiện ô tô tại nhà máy.
ผลิตชิ้นส่วนของรถยนต์ที่โรงงานครับ/ค่ะ
Membuat suku cadang mobil di pabrik.
စက်ရုံတွင် ကားပစ္စည်းအစိတ်အပိုင်းများကို ထုတ်လုပ်လျက်ရှိပါသည်။

□ 013	ざいりょう	material	材料
	材料	nguyên liệu	วัตถุดิบ
	zairyō	bahan baku	ကုန်ကြမ်း

材料を　発注します。
We order materials. / 订购材料。
Chúng tôi đặt mua nguyên liệu.
สั่งซื้อวัตถุดิบครับ/ค่ะ
Memesan bahan baku.
ကုန်ကြမ်းများကို အော်ဒါမှာယူပါမည်။

014			
かこう	process	加工
加工 (する)	gia công	แปรรูป
kakō	mengolah	ကုန်ချောထုတ်လုပ်သည်

金属(きんぞく)を　加工(かこう)します。
We process metal materials. / 加工金属。
Chúng tôi gia công kim loại.
แปรรูปโลหะครับ/ค่ะ
Mengolah logam.
သတ္တုကို ကုန်ချောထုတ်လုပ်ပါမည်။

015		
くみたてる	assemble	组装
組み立てる	lắp ráp	ประกอบ
kumitateru	merakit	တပ်ဆင်သည်

製品(せいひん)を　組(く)み立(た)てます。
We assemble products. / 组装产品。
Chúng tôi lắp ráp sản phẩm.
ประกอบผลิตภัณฑ์ครับ/ค่ะ
Merakit produk.
အစိတ်အပိုင်းများကို တပ်ဆင်ပါမည်။

016		
けんさ	inspect	检查
検査 (する)	kiểm tra	ตรวจสอบ
kensa	memeriksa	စစ်ဆေးသည်၊ စမ်းသပ်သည်

出荷(しゅっか)の　前(まえ)に　製品(せいひん)を　検査(けんさ)します。
We inspect products before shipping. / 发货前检查产品。
Chúng tôi kiểm tra sản phẩm trước khi xuất hàng đi.
ตรวจสอบผลิตภัณฑ์ก่อนจัดส่งครับ/ค่ะ
Memeriksa produk sebelum pengiriman.
မတင်ပို့မီ ထုတ်ကုန်များကို စစ်ဆေးပါမည်။

017		
はこぶ	carry	搬运
運ぶ	vận chuyển	ขนย้าย
hakobu	mengangkut	သယ်ဆောင်သည်

段(だん)ボールを　運(はこ)んで　ください。
Please carry the cardboard boxes. / 请搬纸箱。
Hãy vận chuyển thùng các tông.
กรุณาขนลังกระดาษด้วยครับ/ค่ะ
Tolong angkut kardus.
ကတ်ထူပုံးကို သယ်ဆောင်ပါ။

□ 018	もちあげる **持ち上げる** mochiageru	lift	举起
		nâng lên	ยกขึ้น
		mengangkat	မ တင်သည်

ちょっと この 機械(きかい)を 持(も)ち上(あ)げますよ。
We are going to lift this machine up a bit. / 稍微抬一下这台机器。
Chúng ta nâng cái máy này lên một tí.
จะยกเครื่องจักรนี้ขึ้นหน่อยนะครับ/คะ
Saya akan mengangkat mesin ini sebentar.
ဒီစက်ပစ္စည်းကို နည်းနည်းလောက် မ တင်မယ်နော်။

□ 019	やりなおす **やり直す** yarinaosu	do again	返工
		làm lại	แก้ไขใหม่
		mengulang	ပြန်ပြင်သည်

もう 一度(いちど) やり直(なお)して ください。
Please do it again. / 请再试一次。
Hãy làm lại một lần nữa.
กรุณาแก้ไขใหม่อีกครั้งครับ/ค่ะ
Tolong diulang sekali lagi.
နောက်တစ်ကြိမ် ပြန်ပြင်ပါ။

□ 020	こうてい **工程** kōtei	process	工序
		công đoạn	ขั้นตอน/กระบวนการ
		proses	လုပ်ငန်းစဉ်အဆင့်ဆင့်

作業(さぎょう)の 工程(こうてい)を 確認(かくにん)します。
We will check the work process. / 确认作业工序。
Chúng tôi kiểm tra các công đoạn làm việc.
ตรวจสอบกระบวนการของงานอีกครั้งครับ/ค่ะ
Memastikan proses kerja.
လုပ်ငန်းစဉ်အဆင့်ဆင့်ကို စစ်ဆေးပါမည်။

ユニット 3

あんぜん 安全

Safety	安全
An toàn	ความปลอดภัย
Keselamatan	ဘေးကင်းလုံခြုံမှု

□ 021	あんぜん **安全** anzen	safety	安全
		an toàn	ความปลอดภัย
		keselamatan	ဘေးကင်းလုံခြုံမှု

安全第一で　お願いします。
Please put safety first. / 安全第一。
Hãy đặt sự an toàn lên trên hết.
"ปลอดภัยไว้ก่อน" ด้วยนะครับ/ค่ะ
Tolong utamakan keselamatan.
ဘေးကင်းလုံခြုံမှုပထမဦးစားပေးပြီးလုပ်ပါ။

□ 022	きんきゅうじたい **緊急事態** kinkyū-jitai	emergency	紧急情况
		tình trạng khẩn cấp	สถานการณ์ฉุกเฉิน
		situasi darurat	အရေးပေါ်အခြေအနေ

緊急事態です。外へ　出て　ください。
This is an emergency. Please go outside. / 紧急情况。请出去。
Tình trạng khẩn cấp. Hãy đi ra ngoài.
นี่เป็นสถานการณ์ฉุกเฉิน กรุณาออกไปข้างนอกด้วยครับ/ค่ะ
Situasi darurat. Pergilah ke luar.
အရေးပေါ် အခြေအနေဖြစ်ပါသည်။ အပြင်ကိုထွက်ပါ။

□ 023	ひじょうぐち **非常口** hijōguchi	emergency exit	安全出口
		lối thoát hiểm	ทางออกฉุกเฉิน
		pintu keluar darurat	အရေးပေါ်ထွက်ပေါက်

非常口は　あそこですよ。
The emergency exit is over there. / 安全出口在那边。
Lối thoát hiểm ở đằng kia đấy.
ทางออกฉุกเฉินอยู่ทางโน้นครับ/ค่ะ
Pintu keluar darurat ada di sana.
အရေးပေါ် ထွက်ပေါက်က ဟိုဘက်မှာပါ။

024	ひなん **避難** (する) hinan	evacuate	避难
		lánh nạn	อพยพ
		evakuasi	ထွက်ပြေးတိမ်းရှောင်ခြင်း

すぐ　外(そと)へ　避難(ひなん)して　ください。
Please evacuate outside immediately. / 请马上到外面避难。
Hãy lánh nạn ra bên ngoài ngay lập tức.
กรุณาอพยพไปข้างนอกทันทีครับ/ค่ะ
Segeralah evakuasi ke luar.
ချက်ချင်းအပြင်သို့ ထွက်ပြေးတိမ်းရှောင်ပါ။

025	かさい **火災** kasai	fire	火灾
		hoả hoạn	อัคคีภัย
		kebakaran	မီးလောင်ခြင်း

火災(かさい)は　119番(ばん)に　連絡(れんらく)して　ください。
Please dial 119 to report a fire. / 火灾请拨打 119。
Khi có hỏa hoạn, hãy gọi số 119.
กรุณาติดต่อหมายเลข 119 เมื่อเกิดอัคคีภัยครับ/ค่ะ
Hubungilah 119 jika kebakaran.
မီးလောင်ပါက **119**နံပါတ်သို့ ဆက်သွယ်ပါ။

026	じこ **事故** jiko	accident	事故
		tai nạn	อุบัติเหตุ
		kecelakaan	မတော်တဆမှု

今朝(けさ)　電車(でんしゃ)の　事故(じこ)が　ありました。
There was a train accident this morning. / 今天早上发生了电车事故。
Đã có tai nạn tàu điện sáng nay.
เมื่อเช้านี้มีอุบัติเหตุรถไฟเกิดขึ้นครับ/ค่ะ
Tadi pagi ada kecelakaan kereta.
ယခုမနက် ရထားမတော်တဆမှု ဖြစ်ခဲ့ပါသည်။

027	けが **怪我** (する) kega	get injured	受伤
		bị thương	บาดเจ็บ
		cedera	ဒဏ်ရာရခြင်း

怪我(けが)や　事故(じこ)に　注意(ちゅうい)して　ください。
Be careful not to get injured or involved in an accident. / 请注意受伤和事故。
Hãy chú ý tai nạn và thương tích.
กรุณาระวังเรื่องการบาดเจ็บและอุบัติเหตุด้วยครับ/ค่ะ
Berhati-hatilah agar tidak cedera atau kecelakaan.
ဒဏ်ရာရခြင်းနှင့် မတော်တဆမှုများကို သတိထားပါ။

□ 028	ろうさい **労災** rōsai	industrial accident	工伤
		tai nạn lao động	อุบัติเหตุจากการทำงาน
		kecelakaan kerja	လုပ်ငန်းခွင်တွင်း မတော်မဆဖြစ်ပေါ်မှု

今月（こんげつ） 労災（ろうさい）が 2回（かい） ありました。

There were two industrial accidents on the job this month. / 本月发生了两次工伤。

Tháng này đã xảy ra 2 vụ tai nạn lao động.

เดือนนี้มีอุบัติเหตุจากการทำงานเกิดขึ้น 2 ครั้งครับ/ค่ะ

Ada dua kecelakaan kerja bulan ini.

ယခုလတွင် လုပ်ငန်းခွင်တွင်းမတော်မဆဖြစ်ပေါ်မှု 2ကြိမ်ဖြစ်ပွားခဲ့ပါသည်။

ユニット 4

ごえす
5S

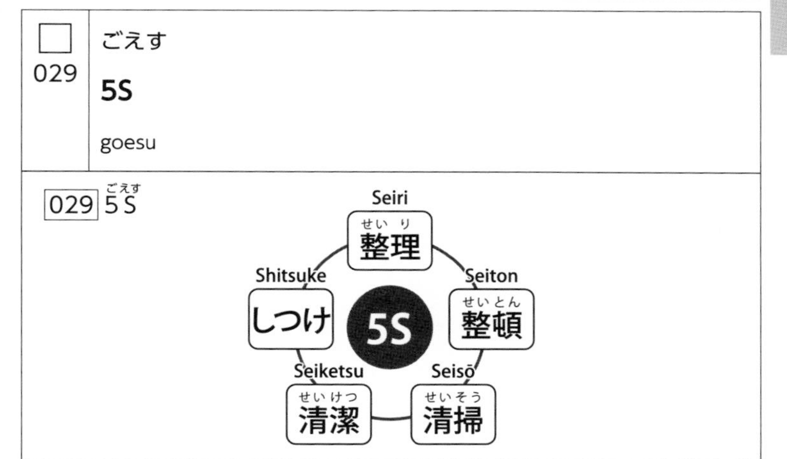

整理（Seiri）、整頓（Seiton）、清掃（Seisō）、清潔（Seiketsu）、しつけ（Shitsuke）、の頭文字 S をとったもの。職場環境を整えるために組織全員で取り組むこと。

A word made up of the initial letters of Seiri (sort), Seiton (put in order), Seisō (clean up), Seiketsu (clean), and Shitsuke (sustain), it is used to indicate the efforts made by everyone in the organization to maintain the workplace environment.

5S 的 S 是取日语发音的整理（Seiri）、整顿（Seiton）、清扫（Seisō）、清洁（Seiketsu）、素养（Shitsuke），这五个词的第一个字母。为了完善职场环境，组织全体人员必须落实的行动。

Đây là từ viết tắt lấy chữ S đầu tiên của các từ Seiri (Sàng lọc), Seiton (Sắp xếp), Seisō (Vệ sinh sạch sẽ), Seiketsu (Sạch sẽ), Shitsuke (Sẵn sàng). Tất cả thành viên của tổ chức phải luôn nỗ lực thực hiện 5S để tạo nên một môi trường làm việc ngăn nắp, sạch sẽ.

ย่อมาจากอักษร S ตัวแรกของคำว่า สะสาง (Seiri), สะดวก (Seiton), สะอาด (Seisō), สุขลักษณะ (Seiketsu), สร้างนิสัย (Shitsuke) ซึ่งเป็นสิ่งที่สมาชิกในองค์กรทุกคนต้องทำ เพื่อจัดระเบียบสภาพแวดล้อมของสถานที่ทำงาน

Ringkas (Seiri), Rapi (Seiton), Resik (Seisō), Rawat (Seiketsu), dan Rajin (Shitsuke) adalah kepanjangan dari 5R (5S) yang diambil huruf depannya. Untuk merapikan lingkungan kerja maka perlu dilaksanakan oleh semua orang dalam organisasi.

Seiri(ရှင်းလင်းခြင်း)၊Seiton(ညီညာသေသပ်အောင်ပြုလုပ်ခြင်း)၊ Seisō(သန့်ရှင်းရေးပြုလုပ်ခြင်း)၊Seiketsu (သန့်ရှင်းသပ်ရပ်ခြင်း)၊ Shitsuke(စည်းကမ်း)စသည်တို့မှအစစာလုံး S ကိုယူထားသည်။ လုပ်ငန်းခွင်ပတ်ဝန်းကျင်ကိုစီမံလုပ်ဆောင်ရန်ဝန်ထမ်း အားလုံးကပူးပေါင်းလုပ်ကိုင်ခြင်း။

□ 030	せいり **整理** (する) seiri	sort	整理
		sàng lọc	สะสาง
		mengatur (Ringkas)	ရှင်းလင်းခြင်း

工具箱を　整理しましょう。

Let's sort out the toolbox. / 整理工具箱吧。

Hãy cùng sàng lọc hộp dụng cụ nào.

สะสางของที่อยู่ในกล่องเครื่องมือกันเถอะครับ/ค่ะ

Atur isi kotak peralatan (Seiri/Ringkas).

ကိရိယာများထည့်သည့်သေတ္တာကို ရှင်းလင်းကြရအောင်။

要るものと要らないものを分けて、要らないものを捨てること。

To sort things into what is needed and not needed, and to throw away the not needed items.

区别开要和不要的东西，扔掉不要的东西。

Đây là công việc phân chia vật cần thiết và vật không cần thiết, sau đó vứt bỏ vật không cần thiết.

การสะสางแยกแยะของที่จำเป็นและไม่จำเป็นออกจากกัน และกำจัดของที่ไม่จำเป็นทิ้ง

Memilah barang yang diperlukan dan yang tidak diperlukan, lalu membuang barang yang tidak diperlukan.

လိုအပ်သောအရာနဲ့ မလိုအပ်သောအရာကို ခွဲခြားပြီးမလိုအပ်သော အရာများကို လွှင့်ပစ်ခြင်း။

□ 031	せいとん **整頓** (する) seiton	put in order	整顿
		sắp xếp	สะดวกต่อการหา/จัดของให้ใช้สะดวก
		menata (Rapi)	ညီညာသေသပ်အောင် ပြုလုပ်ခြင်း

倉庫の　部品を　整頓します。

We put the parts in the warehouse in order. / 整理仓库的零件。

Chúng tôi sắp xếp các linh kiện trong kho.

จัดระเบียบของในโกดังให้สะดวกต่อการใช้งานครับ/ค่ะ

Menata suku cadang di gudang (Seiton/Rapi).

ဂိုဒေါင်၏အစိတ်အပိုင်းများကို စီစီရီရီထားရှိပါမည်။

必要な時にすぐ取り出せるように配置すること。

To arrange things so that they can be accessed immediately when needed.

摆放成必要时可以马上取出的状态。

Đây là công việc bố trí các vật dụng sao cho có thể lấy ra ngay khi cần.

การจัดวางให้สามารถนำออกมาได้ทันทีเมื่อจำเป็น

Menempatkan sesuatu agar dapat segera diambil ketika dibutuhkan.

လိုအပ်သော အချိန်တွင် ချက်ချင်း ထုတ်ယူနိုင်ရန် စီစဉ်ထားခြင်း။

032	せいそう **清掃** (する) seisō	clean up	清扫
		vệ sinh sạch sẽ	สะอาด
		membersihkan (Resik)	သန့်ရှင်းခြင်း

作業場を　清掃してから　帰ります。
We will clean up the work place before leaving. / 打扫完车间再回家。
Chúng tôi dọn vệ sinh sạch sẽ nơi làm việc trước khi ra về.
ทำความสะอาดสถานที่ทำงานแล้วค่อยกลับบ้านครับ/ค่ะ
Pulang setelah membersihkan tempat kerja (Seisō/Resik).
လုပ်ငန်းခွင်ကို သန့်ရှင်းပြီးမှ ပြန်ပါမည်။

掃除して整理・整頓の状態を保つこと。
To clean up and keep them in order.
打扫保持整理及整顿的状态。
Đây là công việc quét dọn sạch sẽ để duy trì trạng thái đã được sàng lọc, sắp xếp.
ทำความสะอาดเพื่อรักษาสภาพสะสาง·สะดวกเอาไว้
Mempertahankan kondisi ringkas dan rapi dengan bersih-bersih.
သန့်ရှင်းရေးလုပ်ကာ ရှင်းလင်းနေသော၊ ညီညာသေသပ်အောင် ပြုလုပ်ထားသော အခြေအနေ၌ ထားခြင်း။

033	せいけつ **清潔** seiketsu	clean	清洁
		sạch sẽ	สุขลักษณะ
		menjaga tetap bersih (Rawat)	သန့်ရှင်းသပ်ရပ်ခြင်း

ロッカールームは　清潔に　使いましょう。
Let's keep the locker room clean. / 要干净地使用更衣室。
Hãy sử dụng phòng thay đồ một cách sạch sẽ.
ใช้ห้องล็อกเกอร์อย่างสะอาดถูกสุขลักษณะกันเถอะครับ/ค่ะ
Gunakan locker room dengan bersih (Seiketsu/Rawat).
locker room ကိုသန့်ရှင်းစွာ အသုံးပြုကြရအောင်။

整理、整頓、清掃をし、きれいな状態を保つこと。
To sort, put things in order, clean them, and keep them clean.
整理、整顿、清扫，保持干净的状态。
Đây là việc duy trì trạng thái sạch sẽ, ngăn nắp sau khi thực hiện sàng lọc, sắp xếp và vệ sinh sạch sẽ.
ทำการสะสาง, สะดวก, สะอาด เพื่อรักษาสภาพความสะอาดเอาไว้
Mempertahankan kondisi bersih dengan cara melakukan ringkas, rapi, dan resik.
ရှင်းလင်းခြင်း၊ ညီညာသေသပ်အောင်ပြုလုပ်ခြင်း၊ သန့်ရှင်းရေးပြုလုပ်ခြင်းများ လုပ်ကာ သပ်ရပ်သော အခြေအနေ၌ ထားခြင်း။

□ 034	しつけ **しつけ** shitsuke	sustain	素养
		sẵn sàng	สร้างนิสัย
		pendisiplinan (Rajin)	စည်းကမ်း

5Sの 5番目は 「しつけ」です。

The fifth "S" in 5S is "shitsuke," which means "sustain." / 5S 的第五个是"素养"。

Mục thứ 5 trong 5S là "Sẵn sàng".

ข้อที่ 5 ของ 5 ส.คือ "การสร้างนิสัย" ครับ/ค่ะ

Nomor lima dari 5S (5R) adalah Shitsuke (Rajin).

5S ၏ 5ခုမြောက်သည် "စည်းကမ်း" ဖြစ်ပါသည်။

全員が4S（整理、整頓、清掃、清潔）や基本的なルールを守る習慣をつけること。

To teach all members of the workplace to observe the 4S principles (sort, put in order, clean up, and clean) and basic rules.

教育所有人都要养成遵守4S（整理、整顿、清扫、清洁）和基本规则的习惯。

Tất cả mọi người phải tạo cho mình thói quen luôn tuân thủ 4S (Sàng lọc, Sắp xếp, Vệ sinh sạch sẽ, Sạch sẽ) và các quy tắc cơ bản.

การที่ทุกคนสามารถรักษา 4S (สะสาง, สะดวก, สะอาด, สุขลักษณะ) หรือกฎพื้นฐานเอาไว้เป็นกิจวัตรประจำวัน

Membiasakan semua orang melakukan 4R (Ringkas, Rapi, Resik, dan Rawat) dan mematuhi aturan dasar.

လူတိုင်း 4S (ရှင်းလင်းခြင်း၊ ညီညာသေသပ်အောင်ပြုလုပ်ခြင်း၊ သန့်ရှင်းရေးပြုလုပ်ခြင်း၊ သန့်ရှင်းသပ်ရပ်ခြင်း) နှင့် အခြေခံစည်းမျဉ်းများကို လိုက်နာသော အလေ့အထကို မွေးမြူခြင်း။

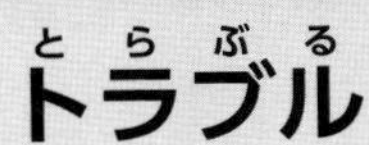

ユニット 5

トラブル（とらぶる）

Trouble / 问题 / Sự cố / ปัญหา / Masalah / ပြဿနာ

035	とらぶる **トラブル** toraburu	trouble	问题
		sự cố	ปัญหา
		masalah	ပြဿနာ

機械（きかい）の　トラブルが　ありました。
There was trouble with the machinery. / 机器发生了问题。
Đã có sự cố máy móc xảy ra.
เครื่องจักรมีปัญหาครับ/ค่ะ
Ada masalah mesin.
စက်ပစ္စည်းတွင် ပြဿနာရှိခဲ့ပါသည်။

036	みす **ミス**（する） misu	make a mistake	错误
		lỗi	ความผิดพลาด
		kesalahan	အမှား

ミスは　報告（ほうこく）しなければ　なりません。
You must report mistakes. / 失误必须报告。
Bạn phải báo cáo khi có lỗi.
ต้องรายงานความผิดพลาดด้วยครับ/ค่ะ
Kesalahan harus dilaporkan.
အမှားကို အစီရင်မခံ၍မရပါ။

037	ふりょうひん **不良品** furyōhin	defective products	不良品／残次品
		hàng lỗi	ของไม่ผ่านมาตรฐาน/งานเสีย/ของเสีย
		produk cacat	အပြစ်အနာအဆာရှိသော ပစ္စည်း

不良品（ふりょうひん）を　検査（けんさ）します。
We inspect the defective products. / 检查不良品。
Kiểm tra hàng lỗi.
ตรวจสอบของไม่ผ่านมาตรฐานครับ/ค่ะ
Memeriksa produk cacat.
အပြစ်အနာအဆာရှိသောပစ္စည်းများကို စစ်ဆေးပါမည်။

038	けっぴん 欠品 (する) keppin	be out of stock	缺货
		thiếu hàng	(ของ)ไม่ครบ/(ของ)ขาด
		kehabisan stok	ပစ္စည်းပြတ်ခြင်း

製品(せいひん)の　欠品(けっぴん)を　連絡(れんらく)します。

We will inform you when we are out of stock. / 通知产品缺货。

Chúng tôi sẽ liên hệ khi thiếu hàng.

ติดต่อเรื่องของที่ไม่ครบครับ/ค่ะ

Memberitahu stok produk kosong.

ထုတ်ကုန်ပစ္စည်းများ ပစ္စည်းပြတ်သွားလျှင် အကြောင်းကြားပါမည်။

039	ふぐあい 不具合 fuguai	bug/failure	不良状况
		hư hỏng	ความบกพร่อง
		cacat/kerusakan	ချွတ်ယွင်းမှု

機械(きかい)の　不具合(ふぐあい)を　調(しら)べて　います。

We are investigating a failure with the machinery. / 我在检查机器的不良状况。

Chúng tôi điều tra tình trạng hư hỏng của máy móc.

กำลังตรวจหาความบกพร่องของเครื่องจักรอยู่ครับ/ค่ะ

Sedang memeriksa kerusakan mesin.

စက်ပစ္စည်း၏ချွတ်ယွင်းမှုကို လေ့လာစစ်ဆေးနေပါသည်။

040	くれーむ クレーム kurēmu	complaint	投诉
		khiếu nại	การร้องเรียน/การตำหนิ
		klaim/komplain	complain

今月(こんげつ)は　10回(かい)　クレームが　ありました。

We received 10 complaints this month. / 本月有 10 次投诉。

Đã có 10 khiếu nại trong tháng này.

เดือนนี้มีการร้องเรียนเข้ามา 10 ครั้งครับ/ค่ะ

Ada 10 klaim bulan ini.

ယခုလတွင် complain 10ကြိမ် ရှိခဲ့ပါသည်။

041	こわれる 壊れる kowareru	break	故障／坏
		hỏng	เสีย/พัง
		rusak	ပျက်စီးသည်

その　機械(きかい)は　壊(こわ)れて　いますよ。

That machine is broken. / 那台机器坏了哦。

Máy này bị hỏng rồi.

เครื่องจักรเครื่องนั้นเสียครับ/ค่ะ

Mesin itu rusak.

ထိုစက်ပစ္စည်းသည် ပျက်စီးနေပါသည်။

□ 042	しゅうり **修理** (する) shūri	repair	修理
		sửa chữa	ซ่อมแซม
		memperbaiki	ပြုပြင်သည်

この　機械を　修理して　ください。
Please repair this machine. / 请修理这台机器。
Hãy sửa máy này giùm.
กรุณาซ่อมเครื่องจักรนี้ด้วยครับ/ค่ะ
Tolong perbaiki mesin ini.
ဤစက်ပစ္စည်းကို ပြုပြင်ပါ။

□ 043	きを　つける **気を　付ける** ki o tsukeru	be careful	小心
		cẩn thận	ระมัดระวัง
		berhati-hati	သတိထားသည်

危ないですよ。気を　付けて　ください。
Be careful. It's dangerous. / 危险。请小心。
Nguy hiểm đó. Hãy cẩn thận!
อันตรายนะครับ/คะ กรุณาระมัดระวังด้วย
Berbahaya, lho. Tolong hati-hati.
အန္တရာယ်ရှိတယ်နော်။ သတိထားပါ။

ユニット 6

しゃいん
社員

Employee	员工
Nhân viên chính thức	พนักงาน
Karyawan	ဝန်ထမ်း

□ 044	たんとうしゃ **担当者** tantōsha	person in charge	负责人
		người phụ trách	ผู้รับผิดชอบ
		penanggung jawab	တာဝန်ခံ

山本さんは　研修の　担当者です。

Mr. Yamamoto is in charge of training. / 山本先生是研修的负责人。

Ông Yamamoto là người phụ trách đào tạo.

คุณยามาโมโตะเป็นผู้รับผิดชอบการฝึกอบรมครับ/ค่ะ

Pak Yamamoto adalah penanggung jawab pelatihan.

မစ္စတာယာမမိုတို သည် လေ့ကျင့်ရေးတာဝန်ခံဖြစ်ပါသည်။

□ 045	どうりょう **同僚** dōryō	colleague	同事
		đồng nghiệp	เพื่อนร่วมงาน
		rekan kerja	လုပ်ဖော်ကိုင်ဖက်

今日は　同僚と　一緒に　作業しました。

Today we worked together with our colleagues. / 今天和同事一起作业了。

Hôm nay chúng tôi đã cùng làm việc với đồng nghiệp.

วันนี้ทำงานร่วมกับเพื่อนร่วมงานครับ/ค่ะ

Hari ini bekerja bersama dengan rekan kerja.

ဒီနေ့ လုပ်ဖော်ကိုင်ဖက်နှင့်အတူတူ အလုပ်လုပ်ခဲ့ပါသည်။

□ 046	せんぱい **先輩** senpai	senior colleague	前辈
		đàn anh	รุ่นพี่
		senior	စီနီယာ

先輩に　組み立て方を　習います。

We learn assembly from senior colleagues. / 向前辈学习组装方法。

Chúng tôi học cách lắp ráp từ các bậc đàn anh.

เรียนรู้การประกอบชิ้นส่วนจากรุ่นพี่ครับ/ค่ะ

Belajar cara merakit dari senior.

စီနီယာထံတွင် တပ်ဆင်နည်းကို သင်ယူပါမည်။

□ 047	こうはい **後輩** kōhai	junior colleague	后辈
		đàn em	รุ่นน้อง
		junior	ဂျူနီယာ

後輩(こうはい)に　作業(さぎょう)を　教(おし)えます。
We teach junior colleagues to do the work. / 教后辈工作。
Chúng tôi hướng dẫn công việc cho đàn em.
สอนงานให้รุ่นน้องครับ/ค่ะ
Mengajari junior tentang pekerjaan.
ဂျူနီယာအားအလုပ်ကိုသင်ပြပေးပါမည်။

□ 048	しゃいん **社員** shain	employee	员工
		nhân viên chính thức	พนักงาน
		karyawan	ဝန်ထမ်း

社員(しゃいん)は　何人(なんにん)　いますか。
How many employees are there? / 有多少名员工?
Có tất cả bao nhiêu nhân viên chính thức?
มีพนักงานกี่คนครับ/คะ
Ada berapa orang karyawan?
ဝန်ထမ်း ဘယ်နှစ်ဦးရှိပါသလဲ။

□ 049	がいこくじん **外国人** gaikokujin	people from other countries	外国人
		người nước ngoài	คนต่างชาติ
		orang asing	နိုင်ငံခြားသားဝန်ထမ်း

外国人社員(がいこくじんしゃいん)は　10人(にん)　います。
There are 10 employees from other countries. / 有 10 名外籍员工。
Công ty có 10 nhân viên người nước ngoài.
พนักงานต่างชาติมี 10 คนครับ/ค่ะ
Karyawan asing ada 10 orang.
နိုင်ငံခြားသားဝန်ထမ်းသည် 10ဦး ရှိပါသည်။

□ 050	あるばいと **アルバイト** (する) arubaito	work part-time	临时工
		công việc bán thời gian	งานพิเศษ
		bekerja paruh waktu	အချိန်ပိုင်းအလုပ်

工場(こうじょう)で　アルバイトを　して　います。
I work part-time at the factory. / 我在工厂做临时工。
Tôi đang làm công việc bán thời gian tại nhà máy.
ทำงานพิเศษที่โรงงานครับ/ค่ะ
Saya bekerja paruh waktu di pabrik.
စက်ရုံတွင် အချိန်ပိုင်းအလုပ် လုပ်နေပါသည်။

□ 051	けんしゅうせい **研修生** kenshūsei	trainee	研修生／实习生
		thực tập sinh	ผู้ฝึกอบรม
		peserta pelatihan	လေ့ကျင့်ရေး သင်တန်းသား

私(わたし)は　ABC 工場(こうじょう)の　研修生(けんしゅうせい)です。

I am a trainee at the ABC factory. / 我是 ABC 工厂的研修生。

Tôi là thực tập sinh tại nhà máy ABC.

ผมดิฉันเป็นผู้ฝึกอบรมของโรงงาน ABC ครับ/ค่ะ

Saya adalah peserta pelatihan di pabrik ABC.

ကျွန်တော်သည် ABCစက်ရုံ၏ လေ့ကျင့်ရေးသင်တန်းသားဖြစ်ပါသည်။

□ 052	しどういん **指導員** shidōin	trainer/instructor	指导员
		người hướng dẫn	ผู้ฝึกสอน
		instruktur/pengajar/ pelatih	နည်းပြ၊ ညွှန်ကြားသူ

指導員(しどういん)に　何(なん)でも　相談(そうだん)して　くださいね。

Please ask your instructor any questions you may have. / 有任何问题请与指导员商量。

Hãy trao đổi với người hướng dẫn về mọi vấn đề nhé.

จะปรึกษาผู้ฝึกสอนเรื่องอะไรก็ได้นะครับ/คะ

Silakan berkonsultasi apa saja dengan instruktur, ya.

နည်းပြထံသို့ မည်သည့်ကိစ္စမဆို တိုင်ပင်ဆွေးနွေးပါနော်။

ユニット 7

職位・役職
(しょくい・やくしょく)

Positions / 职位・要职 / Chức vụ/chức danh / ตำแหน่ง / Posisi / ရာထူး၊ အဆင့်

□ 053	しゃちょう **社長** shachō	company president	社长
		tổng giám đốc	ผู้จัดการบริษัท
		presiden direktur perusahaan	သူဌေး

社長の　名前を　知って　いますか。
Do you know the name of the company president? / 你知道社长的名字吗?
Bạn có biết tên của tổng giám đốc không?
ทราบชื่อของผู้จัดการบริษัทหรือไม่ครับ/คะ
Tahukah Anda nama presiden direktur perusahaan?
သူဌေး၏နာမည်ကို သိပါသလား။

□ 054	こうじょうちょう **工場長** kōjōchō	factory manager	工场长
		giám đốc nhà máy	ผู้จัดการโรงงาน
		kepala pabrik	စက်ရုံမှူး

工場長は　とても　親切です。
The factory manager is very kind. / 厂长很亲切。
Giám đốc nhà máy rất tốt bụng.
ผู้จัดการโรงงานใจดีมาก ๆ ครับ/ค่ะ
Kepala pabrik sangat ramah.
စက်ရုံမှူးသည် အလွန်ကြင်နာတတ်ပါသည်။

□ 055	ぶちょう **部長** buchō	department manager	部长
		trưởng bộ phận	ผู้จัดการฝ่าย
		general manajer	ဌာနမှူး

製造部の　部長は　誰ですか。
Who is the manager of the Manufacturing Department? / 制造部的部长是谁?
Trưởng bộ phận sản xuất là ai?
ใครคือผู้จัดการฝ่ายการผลิตหรือครับ/คะ
Siapa general manajer departemen manufaktur?
ကုန်ထုတ်လုပ်မှုဌာန၏ဌာနမှူးသည် မည်သူနည်း။

□ 056	かちょう	section manager	科长
	課長	trưởng phòng	ผู้จัดการแผนก
	kachō	manajer	ဌာနစိတ်မှူး

田中さんは　営業課長に　なりました。
Mr. Tanaka has been appointed the sales manager. / 田中先生当上了营业科长。
Ông Tanaka đã trở thành trưởng phòng kinh doanh.
คุณทานากะได้เป็นผู้จัดการแผนกเซลล์แล้วครับ/ค่ะ
Pak Tanaka telah menjadi manajer pemasaran.
မစ္စတာတာနကသည် အရောင်းဌာနစိတ်မှူး ဖြစ်သွားခဲ့ပါသည်။

□ 057	じょうし	superior	上司
	上司	cấp trên	หัวหน้า/เจ้านาย
	jōshi	bos/atasan	အထက်လူကြီး

上司に　休みの　連絡を　します。
I will tell my superior that I am taking the day off. / 与上司联系申请休息。
Tôi liên lạc với cấp trên để xin nghỉ.
จะแจ้งเรื่องหยุดงานกับหัวหน้าครับ/ค่ะ
Menghubungi atasan mengenai tidak masuk kerja.
အထက်လူကြီးထံ ခွင့်ယူခြင်းကို အကြောင်းကြားပါမည်။

□ 058	ぶか	subordinate	部下
	部下	cấp dưới	ลูกน้อง
	buka	bawahan	လက်အောက်ငယ်သား

部下が　5人　います。
I have five subordinates. / 有 5 名部下。
Tôi có 5 nhân viên cấp dưới.
ลูกน้องมี 5 คนครับ/ค่ะ
Bawahan saya ada 5 orang.
လက်အောက်ငယ်သား 5ဦး ရှိပါသည်။

ユニット 8

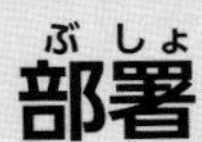

部署（ぶしょ）

Departments of a company	部门
Phòng ban	แผนก/ฝ่าย
Departemen dalam Perusahaan	ဌာန

059	ぶ 部 bu	department	部
		bộ phận	ฝ่าย
		departemen	ဌာန

ABC社（しゃ）には　6つ（むっ）の　部（ぶ）が　あります。
ABC Co. has six departments. / ABC 公司有 6 个部。
Công ty ABC có 6 bộ phận.
บริษัท ABC มีทั้งหมด 6 ฝ่ายครับ/ค่ะ
Ada 6 departemen di perusahaan ABC.
ABCကုမ္ပဏီတွင် ဌာန6ခု ရှိပါသည်။

060	か 課 ka	section	科
		phòng	แผนก
		divisi	ဌာနစိတ်

同じ（おな）　課（か）の　同僚（どうりょう）に　質問（しつもん）します。
I will ask a colleague on the same section. / 向同一科的同事提问。
Tôi sẽ hỏi đồng nghiệp trong cùng phòng ban.
ถามเพื่อนร่วมงานในแผนกเดียวกันครับ/ค่ะ
Bertanya kepada rekan kerja di divisi yang sama.
ဌာနစိတ်တူ လုပ်ဖော်ကိုင်ဖက်အား မေးခွန်းမေးပါမည်။

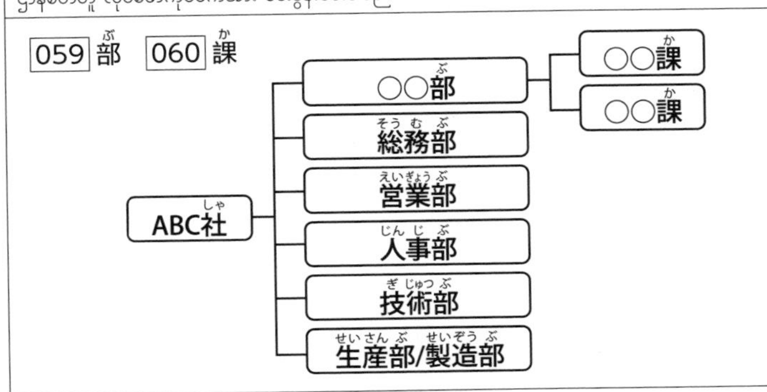

□ 061	せいさんぶ	production department	生产部
	生産部	bộ phận sản xuất	ฝ่ายการผลิต
	seisanbu	departemen produksi	ထုတ်လုပ်ရေးဌာန

生産部(せいさんぶ)で　研修(けんしゅう)を　受(う)けて　います。
I am being trained in the Production Department. / 我在生产部参加研修。
Tôi đang được đào tạo tại bộ phận sản xuất.
กำลังได้รับการฝึกอบรมที่ฝ่ายการผลิตครับ/ค่ะ
Ikut pelatihan di departemen produksi.
ထုတ်လုပ်ရေးဌာနတွင် သင်တန်းတက်နေပါသည်။

□ 062	せいぞうぶ	manufacturing department	制造部
	製造部	bộ phận chế tạo	ฝ่ายการผลิต
	seizōbu	departemen manufaktur	ကုန်ထုတ်လုပ်ရေးဌာန
□ 063	ぎじゅつぶ	engineering department	技术部
	技術部	bộ phận kỹ thuật	ฝ่ายวิศวกรรม
	gijutsubu	departemen teknik	နည်းပညာဌာန
□ 064	えいぎょうぶ	sales department	营业部
	営業部	bộ phận kinh doanh	ฝ่ายขาย/ฝ่ายเซลล์
	eigyōbu	departemen pemasaran	အရောင်းပိုင်းဌာန
□ 065	そうむぶ	general affairs department	总务部
	総務部	bộ phận hành chính	ฝ่ายทั่วไป/ฝ่ายธุรการ
	sōmubu	departemen operasional/urusan umum	အထွေထွေရေးရာဌာန
□ 066	じんじぶ	human resources department	人事部
	人事部	bộ phận nhân sự	ฝ่ายบุคคล
	jinjibu	departemen personalia	လူ့စွမ်းအားအရင်းအမြစ်ဌာန

ユニット9

業務（ぎょうむ）

Duty/work	业务
Công việc	การปฏิบัติงาน
Tugas	လုပ်ငန်းတာဝန်

067	かいはつ 開発 する kaihatsu	develop	开发
		phát triển	พัฒนา
		mengembangkan	တီထွင်ဆန်းသစ်သည်

新しい（あたらしい）　製品（せいひん）を　開発（かいはつ）して　います。
We are developing new products. / 我在开发新产品。
Chúng tôi đang phát triển sản phẩm mới.
กำลังพัฒนาผลิตภัณฑ์ใหม่อยู่ครับ/ค่ะ
Kami sedang mengembangkan produk baru.
ထုတ်ကုန်အသစ်ကို တီထွင်လျက်ရှိပါသည်။

068	せっけい 設計 する sekkei	design	设计
		thiết kế	ออกแบบ
		mendesain	ဒီဇိုင်းရေးဆွဲသည်

設計（せっけい）に　ミスが　ありました。
There was a design flaw. / 设计有错误。
Đã có sai sót trong thiết kế.
การออกแบบมีข้อผิดพลาดครับ/ค่ะ
Ada kesalahan pada desain.
ဒီဇိုင်းရေးဆွဲခြင်းတွင် အမှားရှိခဲ့ပါသည်။

069	めんてなんす メンテナンス する mentenansu	maintain	保养
		bảo trì	ซ่อมบำรุง
		melakukan pemeliharaan	maintenance

機械（きかい）の　メンテナンスを　します。
We do maintenance on the machine. / 进行机器的维修。
Chúng tôi thực hiện bảo trì máy.
ซ่อมบำรุงเครื่องจักรครับ/ค่ะ
Melakukan pemeliharaan mesin.
စက်ပစ္စည်းအား maintenance ပြုလုပ်ပါမည်။

<table>
<tr><td rowspan="3">☐
070</td><td rowspan="3">ぎょうむ
業務
gyōmu</td><td>duty/work</td><td>业务</td></tr>
<tr><td>công việc</td><td>ปฏิบัติงาน</td></tr>
<tr><td>tugas</td><td>လုပ်ငန်းတာဝန်</td></tr>
<tr><td colspan="4">業務報告(ぎょうむほうこく)を　して　ください。
Please report your work progress. / 请做业务报告。
Hãy viết báo cáo công việc.
กรุณารายงานการปฏิบัติงานด้วยครับ/ค่ะ
Tolong buat laporan tugas.
လုပ်ငန်းတာဝန်အစီရင်ခံခြင်းကို ပြုလုပ်ပါ။</td></tr>
<tr><td rowspan="3">☐
071</td><td rowspan="3">さぎょう
作業 (する)
sagyō</td><td>work/operate</td><td>作业</td></tr>
<tr><td>làm việc</td><td>ทำงาน</td></tr>
<tr><td>mengerjakan</td><td>လုပ်ငန်းလုပ်ဆောင်သည်</td></tr>
<tr><td colspan="4">製造(せいぞう)ラインで　作業(さぎょう)します。
I work on the manufacturing line. / 在生产线上工作。
Tôi làm việc tại dây chuyền sản xuất.
ทำงานที่สายการผลิตครับ/ค่ะ
Bekerja di line produksi.
ထုတ်လုပ်မှုline တွင် လုပ်ဆောင်ပါမည်။</td></tr>
</table>

ユニット 10

組織（そしき）

Organization / 组织
Tổ chức / องค์กร
Organisasi / အဖွဲ့အစည်း

072	かいしゃ 会社 kaisha	company	公司
		công ty	บริษัท
		perusahaan	ကုမ္ပဏီ

会社（かいしゃ）の　寮（りょう）に　住（す）んで　います。
I live in the company dormitory. / 我住在公司宿舍。
Tôi đang sống trong ký túc xá của công ty.
อาศัยอยู่ที่หอพักของบริษัทครับ/ค่ะ
Tinggal di asrama perusahaan.
ကုမ္ပဏီအဆောင်တွင် နေထိုင်လျက်ရှိပါသည်။

073	こうじょう 工場 kōjō	factory/plant	工场
		nhà máy	โรงงาน
		pabrik	စက်ရုံ

タイヤ工場（こうじょう）は　タイに　あります。
The tire plant is in Thailand. / 轮胎工厂在泰国。
Nhà máy sản xuất lốp xe ở tại Thái Lan.
โรงงานยางรถยนต์อยู่ในประเทศไทยครับ/ค่ะ
Perusahaan ban ada di Thailand.
တာယာစက်ရုံသည် ထိုင်းတွင် ရှိပါသည်။

074	じむしょ 事務所 jimusho	office	事务所
		văn phòng	สำนักงาน
		kantor	ရုံးခန်း

事務所（じむしょ）で　日報（にっぽう）を　書（か）きます。
I write a daily report at the office. / 我在事务所写日报。
Viết báo cáo hằng ngày tại văn phòng.
เขียนรายงานประจำวันที่สำนักงานครับ/ค่ะ
Menulis laporan harian di kantor.
ရုံးခန်းတွင် နေ့စဉ်အစီရင်ခံစာကို ရေးပါမည်။

075	ほんしゃ **本社** honsha	head office	总公司
		trụ sở chính	สำนักงานใหญ่
		kantor pusat	ရုံးချုပ်

東京本社(とうきょうほんしゃ)へ　行(い)った　ことが　ありますか。
Have you ever been to the Tokyo head office? / 你去过东京总公司吗?
Bạn đã từng đến trụ sở chính ở Tokyo chưa?
เคยไปสำนักงานใหญ่ที่โตเกียวไหมครับ/คะ
Apakah Anda pernah pergi ke kantor pusat Tokyo?
တိုကျိုရုံးချုပ်သို့ သွားဖူးပါသလား။

076	ししゃ **支社** shisha	branch office	分公司
		chi nhánh	สาขา
		kantor cabang	ရုံးခွဲ

こちらは　大阪支社(おおさかししゃ)の　山下(やました)さんです。
This is Ms. Yamashita from the Osaka Branch. / 这位是大阪分公司的山下女士。
Đây là Bà Yamashita đến từ chi nhánh Osaka.
นี่คือคุณยามาชิตะจากสาขาโอซาก้าครับ/ค่ะ
Ini adalah Bu Yamashita dari kantor cabang Osaka.
ဒီဘက်ကတော့ အိုဆာကာရုံးခွဲမှ ဒေါ်ယာမရှိတ ဖြစ်ပါတယ်။

075 本社(ほんしゃ)　076 支社(ししゃ)

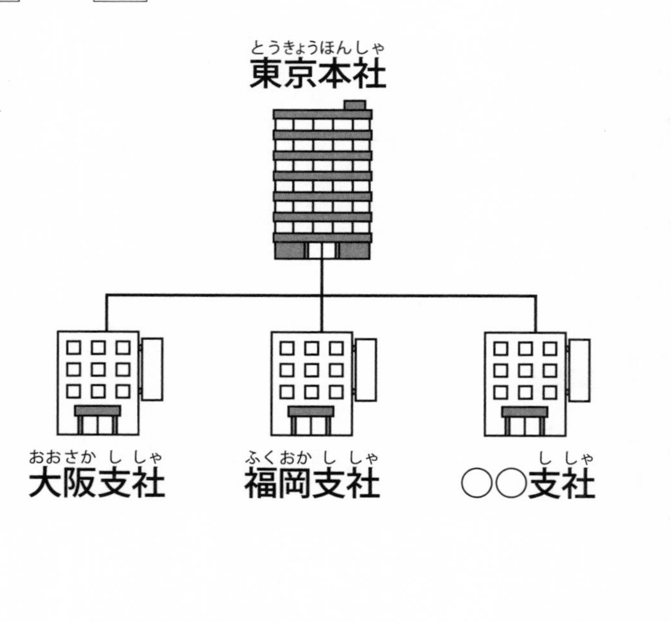

077	しょくば **職場** shokuba	workplace	职场
		nơi làm việc	ที่ทำงาน
		tempat kerja	အလုပ်ခွင်

職場に　着いてから　着替えます。

We change clothes after arriving in the workplace. / 到了单位再换衣服。

Chúng tôi thay trang phục sau khi đến nơi làm việc.

ถึงที่ทำงานแล้วจึงเปลี่ยนชุดครับ/ค่ะ

Berganti baju setelah tiba di tempat kerja.

အလုပ်ခွင်သို့ရောက်ပြီးနောက် အဝတ်အစားလဲပါမည်။

ユニット 11

しゅうぎょう
就業

Working	就业
Việc làm	การเข้าทำงาน
Kerja	အလုပ်ခန့်အပ်ခြင်း

☐ 078	きゅうけい	have a break	休息
	休憩 (する)	nghỉ giải lao	พัก
	kyūkei	beristirahat	အနားယူသည်

12時から　1時間　休憩して　ください。
Please take a break for 1 hour from 12:00. / 请从 12 点开始休息一个小时。
Hãy nghỉ giải lao 1 tiếng từ 12 giờ.
กรุณาพัก 1 ชั่วโมง ตั้งแต่ 12 นาฬิกานะครับ/ค่ะ
Silakan istirahat selama 1 jam mulai jam 12.
12နာရီမှ 1နာရီကြား အနားယူပါ။

☐ 079	ちこく	come late to work	迟到
	遅刻 (する)	đến muộn	ถึงช้ากว่ากำหนด
	chikoku	terlambat	နောက်ကျသည်

すみません。10分ぐらい　遅刻します。
I'm sorry, but I will be about 10 minutes late. / 对不起。我会迟到十分钟左右。
Xin lỗi. Tôi sẽ đến muộn khoảng 10 phút.
ขอโทษครับ/ค่ะ จะถึงช้ากว่ากำหนดประมาณ 10 นาทีครับ/ค่ะ
Maaf. Saya akan terlambat sekitar 10 menit.
တောင်းပန်ပါတယ်။ 10မိနစ်လောက်နောက်ကျပါမယ်။

☐ 080	そうたい	leave work early	早退
	早退 (する)	về sớm	เลิกงานก่อนเวลา
	sōtai	pulang awal	ရုံးစောစောပြန်သည်

今日　3時に　早退しても　いいですか。
May I leave early today, at 3:00? / 我今天 3 点早退可以吗?
Tôi có thể về sớm lúc 3 giờ hôm nay không?
วันนี้ขอเลิกงานก่อนเวลาตอนบ่ายสามได้ไหมครับ/คะ
Bolehkah hari ini saya pulang awal pada jam 3?
ဒီနေ့3နာရီမှာရုံးစောစောပြန်လို့ရပါသလား။

☐ 081	ざんぎょう **残業** する zangyō	work overtime	加班
		tăng ca	ทำงานล่วงเวลา
		kerja lembur	အချိန်ပိုလုပ်သည်

リンさん、1時間(じかん)　残業(ざんぎょう)が　できますか。
Ms. Lin, can you work overtime for 1 hour? / 林小姐，你能加班一个小时吗?
Chị Lin, chị có thể tăng ca thêm một tiếng không?
คุณลินจะทำงานล่วงเวลา 1 ชั่วโมงได้ไหมครับ/คะ
Saudari Lin, bisakah Anda bekerja lembur selama satu jam?
ဒေါ်ရင်း 1နာရီအချိန်ပိုလုပ်နိုင်ပါသလား။

☐ 082	がいしゅつ **外出** する gaishutsu	go out	外出
		đi ra ngoài	ออกไปข้างนอก
		pergi keluar	အပြင်ထွက်သည်

午前(ごぜん)は　会議(かいぎ)です。午後(ごご)は　外出(がいしゅつ)します。
I have a meeting in the morning. I will be out in the afternoon. / 上午开会。下午外出。
Buổi sáng tôi có họp. Buổi chiều tôi sẽ ra ngoài.
ช่วงเช้ามีประชุม ช่วงบ่ายออกไปข้างนอกครับ/ค่ะ
Pagi hari ada rapat. Siang hari saya akan pergi keluar.
မနက်ပိုင်းက အစည်းအဝေးပါ။ ညနေပိုင်းက အပြင်ထွက်ပါမယ်။

☐ 083	しゅっちょう **出張** する shutchō	travel on business	出差
		đi công tác	ไปปฏิบัติงานนอกจังหวัด
		melakukan perjalanan bisnis	အလုပ်ကိစ္စနဲ့ခရီးသွားသည်

部長(ぶちょう)は　今日(きょう)　出張(しゅっちょう)ですか。
Is the department manager traveling on business today? / 部长今天出差吗?
Hôm nay trưởng bộ phận đi công tác phải không?
วันนี้หัวหน้าฝ่ายออกไปปฏิบัติงานนอกจังหวัดหรือครับ/คะ
Apakah general manajer akan perjalanan bisnis hari ini?
ဌာနမှူးက ဒီနေ့အလုပ်ကိစ္စနဲ့ခရီးသွားတာပါလား။

☐ 084	きゅうりょう **給料** kyūryō	salary/pay	工资
		lương	เงินเดือน
		gaji/upah	လစာ

毎月(まいつき)　25日(にち)に　給料(きゅうりょう)を　もらいます。
We are paid salary on the 25th of each month. / 每个月 25 号领工资。
Chúng tôi nhận lương vào ngày 25 hằng tháng.
รับเงินเดือนในวันที่ 25 ของทุกเดือนครับ/ค่ะ
Menerima gaji setiap bulan tanggal 25.
လစဉ်25ရက်နေ့တွင် လစာရပါသည်။

085	ぼーなす **ボーナス** bōnasu	bonus	奖金
		tiền thưởng	โบนัส
		bonus	bonus

ボーナスで　自転車(じてんしゃ)を　買(か)いたいです。

I want to buy a bicycle with my bonus. / 我想用奖金买自行车。

Tôi muốn mua một chiếc xe đạp bằng tiền thưởng của mình.

อยากซื้อจักรยานด้วยเงินโบนัสครับ/ค่ะ

Saya ingin membeli sepeda dengan bonus.

bonusဖြင့် စက်ဘီးဝယ်ချင်ပါသည်။

ユニット 12

日常業務

Daily work　日常业务

Công việc hàng ngày　การทำงานประจำวัน

Operasional Harian　နေ့စဉ်လုပ်ငန်းတာဝန်

□ 086	じかんげんしゅ **時間厳守** jikan-genshu	punctuality	遵守时间
		đúng giờ	รักษาเวลาอย่างเข้มงวด
		tepat waktu	အချိန်တိကျမှု

時間厳守で　お願いします。
Please be sure to be on time. / 请严格遵守时间。
Vui lòng đúng giờ.
กรุณารักษาเวลาอย่างเข้มงวดด้วยครับ/ค่ะ
Mohon tepat waktu.
အချိန်တိကျပေးပါ။

□ 087	よてい **予定** (する) yotei	plan	计划／安排
		dự định	กำหนดการ
		jadwal/rencana	အစီအစဉ်

今日の　作業予定を　教えて　ください。
Please tell me today's work plans. / 请告诉我今天的工作计划。
Xin cho biết dự định công việc ngày hôm nay của bạn.
กรุณาบอกกำหนดการของงานในวันนี้ด้วยครับ/ค่ะ
Tolong beritahu rencana kerja hari ini.
ဒီနေ့ လုပ်ငန်းအစီအစဉ်ကို ပြောပြပါ။

□ 088	あいさつ **あいさつ** (する) aisatsu	greet	打招呼／问候
		chào hỏi	ทักทาย
		mengucapkan salam	နှုတ်ဆက်သည်

職場では　元気に　あいさつしましょう。
Let's greet each other enthusiastically in the workplace. / 在职场要精神的打招呼。
Hãy cùng vui vẻ chào hỏi mọi người tại nơi làm việc.
ในที่ทำงาน เรามาทักทายกันด้วยความยิ้มแย้มแจ่มใสกันเถอะนะครับ/คะ
Mari memberi salam di tempat kerja dengan bersemangat.
အလုပ်ခွင်တွင် တက်တက်ကြွကြွ နှုတ်ဆက်ကြရအောင်။

□			
089	かくにん **確認** (する) kakunin	confirm/check	确认
		xác nhận/kiểm tra	ตรวจสอบยืนยัน
		memastikan	စစ်ဆေးသည်

もう　一度　確認しても　いいですか。
May I check on that once more? / 可以再确认一次吗?
Tôi có thể kiểm tra lại một lần nữa được không?
ตรวจสอบยืนยันอีกครั้งได้ไหมครับ/คะ
Bolehkah memastikan sekali lagi?
နောက်တစ်ကြိမ် စစ်ဆေးလို့ရမလား။

□			
090	しじ **指示** (する) shiji	instruct	指示
		chỉ thị	สั่งงาน
		instruksi	ညွှန်ကြားသည်

指示が　わかりましたか。
Did you understand the instructions? / 理解指示了吗?
Bạn đã hiểu các chỉ thị chưa?
เข้าใจคำสั่งงานไหมครับ/คะ
Apakah Anda sudah paham instruksinya?
ညွှန်ကြားချက်တွေကို နားလည်ပါသလား။

□			
091	わたす **渡す** watasu	give	交给
		trao	ส่งมอบ
		menyerahkan	ပေးသည်

書類を　田中さんに　渡して　ください。
Please give the papers to Mr. Tanaka. / 请把文件交给田中先生。
Hãy trao tài liệu cho ông Tanaka.
กรุณาส่งมอบเอกสารให้คุณทานากะด้วยครับ/ค่ะ
Tolong serahkan dokumennya kepada Pak Tanaka.
စာရွက်စာတမ်းတွေကို မစ္စတာတာနကဆီ ပေးလိုက်ပါ။

□ 092	ほうこく **報告** (する) hōkoku	report	报告
		báo cáo	รายงาน
		melapor	အစီရင်ခံသည်

事故(じこ)は　すぐ　報告(ほうこく)して　ください。

Please report any accidents right away. / 事故请马上报告。

Hãy báo cáo về tai nạn ngay.

เมื่อเกิดอุบัติเหตุกรุณารายงานทันทีครับ/ค่ะ

Tolong laporkan kecelakaan secepatnya.

မတော်တဆဖြစ်ပါက ချက်ချင်း အစီရင်ခံပါ။

進捗状況(しんちょくじょうきょう)や結果(けっか)などを知(し)らせること。

To provide information on progress, results, etc.

报告进展状况和结果等。

Đây là việc thông báo tình hình tiến độ và kết quả, v.v...

การรายงานแจ้งความคืบหน้าหรือผลที่เป็นอยู่

Memberitahu perkembangan kondisi atau hasil.

တိုးတက်မှု အခြေအနေနှင့် ရလဒ်တို့ကို အသိပေးအကြောင်းကြားခြင်း။

□ 093	れんらく **連絡** (する) renraku	inform	联络
		liên lạc	ติดต่อ
		menghubungi	အကြောင်းကြားသည်

休(やす)みや　遅刻(ちこく)は　連絡(れんらく)しましょう。

Please let us know if you will take a day off or be late. / 休息和迟到要联系。

Hãy nhớ liên lạc nếu bạn vắng mặt hoặc đến muộn.

เวลาจะหยุดงานหรือจะมาสาย ติดต่อมาให้ทราบกันด้วยนะครับ/คะ

Hubungi jika Anda tidak masuk atau terlambat.

ခွင့်ယူခြင်းများ၊ နောက်ကျခြင်းများရှိပါက အကြောင်းကြားပါ။

関係者(かんけいしゃ)に必要(ひつよう)な情報(じょうほう)を伝(つた)えること。

To communicate necessary information to related parties.

向相关人员传达必要的信息。

Đây là việc truyền đạt thông tin cần thiết cho các bên liên quan.

การติดต่อเพื่อส่งต่อข้อมูลที่จำเป็นและสำคัญให้แก่ผู้ที่เกี่ยวข้อง

Menyampaikan informasi yang diperlukan kepada pihak terkait.

သက်ဆိုင်သူများသို့ လိုအပ်သော သတင်းအချက်အလက်များကို အသိပေးပြောကြားခြင်း။

094	そうだん 相談（する） sōdan	consult	商量
		trao đổi	ปรึกษา
		berkonsultasi	တိုင်ပင်ဆွေးနွေးသည်

何(なん)でも　相談(そうだん)して　ください。

Please feel free to consult with us on anything. / 有任何问题请随时商量。

Hãy trao đổi với chúng tôi về mọi vấn đề.

จะปรึกษาเรื่องอะไรก็ได้นะครับ/คะ

Silakan berkonsultasi apa saja.

ဘာမဆို တိုင်ပင်ဆွေးနွေးပါ။

業務上(ぎょうむじょう)、必要(ひつよう)なアドバイスを求(もと)めること。

To ask for advice needed on the job.

在业务上寻求必要的建议。

Trong công việc, cần phải biết xin lời khuyên khi cần thiết.

การขอคำแนะนำที่จำเป็นในการปฏิบัติหน้าที่

Meminta saran yang diperlukan dalam pekerjaan.

လုပ်ငန်းတွင် လိုအပ်သော အကြံဉာဏ်များကို တောင်းခံခြင်း။

095	ほうれんそう **ホウレンソウ** hōrensō

095 ホウレンソウ（報・連・相）

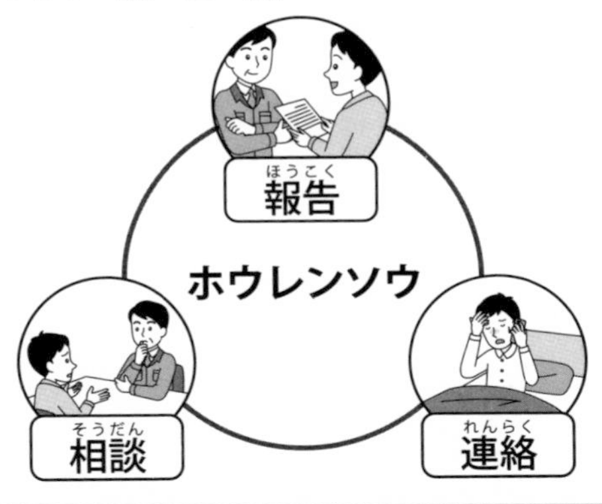

仕事で必要なコミュニケーションスキルをまとめた言い方。野菜のほうれん草（Hōrensō）の発音にかけている。

A way of expressing the communication skills needed on the job. Pronounced like the Japanese word for spinach.

总结工作中必要的交流技能的说法。与日语的菠菜的发音相同。

Đây là cách nói rút gọn các kỹ năng giao tiếp cần thiết trong công việc. Cách phát âm của từ này giống với phát âm của rau chân vịt.

เป็นคำย่อที่สรุปเกี่ยวกับทักษะในการสื่อสารต่าง ๆ ที่จำเป็นต้องใช้ในการทำงาน โดยคำนี้อ่านออกเสียงตรงกันกับคำว่า "ผักโขม" ในภาษาญี่ปุ่น

Cara penyampaian yang telah dirangkum sebagai skil komunikasi yang dibutuhkan dalam pekerjaan. Mengambil pelafalan dari sayur bayam dalam bahasa Jepang.

အလုပ်တွင် လိုအပ်သော ဆက်သွယ်မှု အရည်အချင်းများကို စုစည်းခေါ်ဝေါ်သော အခေါ်အဝေါ်။ အသီးအရွက်ဖြစ်သော ဟင်းနုနွယ်၏ အသံထွက်ဖြစ်သည်။

ユニット12 日常業務

ユニット 13

会議・集会
かいぎ・しゅうかい

Meeting and gathering	会议・集会
Cuộc họp/hội họp	การประชุม·การชุมนุม
Rapat & Pertemuan	အစည်းအဝေး၊ တွေ့ဆုံစည်းဝေးခြင်း

□ 096	かいぎ **会議** (する) kaigi	have a meeting/ conference	会议／［开］会
		họp	ประชุม
		rapat	အစည်းအဝေး ပြုလုပ်သည်

2時から　会議を　します。
We will have a meeting at 2:00. / 两点开始开会。
Sẽ họp từ 2 giờ.
จะประชุมตั้งแต่บ่าย 2 โมงครับ/ค่ะ
Saya akan rapat mulai jam 2.
2နာရီကနေ အစည်းအဝေးလုပ်ပါမယ်။

□ 097	みーてぃんぐ **ミーティング** (する) mītingu	have a meeting	会议／［开］会
		họp	ประชุม
		rapat	အစည်းအဝေး ပြုလုပ်သည်

今から　ミーティングを　始めます。
Now let's start the meeting. / 现在开始开会。
Cuộc họp sẽ bắt đầu từ bây giờ.
ตั้งแต่นี้ไปจะขอเริ่มการประชุมครับ/ค่ะ
Saya akan memulai rapat dari sekarang.
ယခု အစည်းအဝေးကို စပါမည်။

□ 098	うちあわせ **打ち合わせ** (する) uchiawase	have a meeting/ briefing	协商／［开］碰头会
		họp bàn	หารือ/พบปะ
		rapat	တွေ့ဆုံဆွေးနွေးသည်

会議室で　課長と　打ち合わせを　します。
I will have a meeting with the section manager in the meeting room. / 在会议室和科长开会。
Tôi sẽ họp bàn với trưởng phòng tại phòng họp.
จะหารือกับผู้จัดการแผนกที่ห้องประชุมครับ/ค่ะ
Saya akan rapat dengan manajer di ruang rapat.
အစည်းအဝေးခန်းတွင် ဌာနမှူးနှင့် တွေ့ဆုံဆွေးနွေးပါမည်။

099	ちょうれい **朝礼** chōrei	morning meeting	晨会
		họp đầu giờ sáng	ประชุมเช้าก่อนเริ่มงาน
		apel pagi	နံနက်ခင်းအစည်းအဝေး

毎朝（まいあさ）　9時（じ）から　朝礼（ちょうれい）を　して　います。
We have a morning meeting each morning at 9:00. / 每天早上九点开早会。
Hàng ngày chúng ta sẽ có họp đầu giờ sáng vào lúc 9 giờ.
ทุกเช้าตั้งแต่เวลา 9 โมง จะทำการประชุมเช้าก่อนเริ่มงานครับ/ค่ะ
Kami apel pagi setiap pagi dari jam 9.
မနက်တိုင်း9နာရီမှ နံနက်ခင်းအစည်းအဝေး ပြုလုပ်လျက်ရှိပါသည်။

100	ぎじろく **議事録** gijiroku	meeting minutes	会议记录
		biên bản họp	บันทึกการประชุม
		notulen	အစည်းအဝေးမှတ်တမ်း

議事録（ぎじろく）を　書（か）く　ことが　できますか。
Can you take the minutes of a meeting? / 你可以记会议记录吗?
Bạn có thể viết biên bản cuộc họp không?
สามารถเขียนบันทึกการประชุมได้ไหมครับ/คะ
Bisakah Anda menulis notulennya?
အစည်းအဝေးမှတ်တမ်းကို ရေးနိုင်ပါသလား။

101	のみかい **飲み会** nomikai	drinking party	酒会
		tiệc rượu	งานดื่มสังสรรค์
		pesta minum-minum	စားသောက်ပွဲ

明日（あした）の　飲（の）み会（かい）に　参加（さんか）しますか。
Will you go out drinking with us tomorrow? / 你参加明天的聚餐吗?
Bạn có tham gia tiệc rượu ngày mai không?
พรุ่งนี้จะเข้าร่วมงานดื่มสังสรรค์ไหมครับ/คะ
Apakah Anda akan menghadiri pesta minum-minum besok?
မနက်ဖြန် စားသောက်ပွဲတွင် ပါဝင်မည်လား။

ユニット 14

目標管理（もくひょうかんり）

Objective management	目标管理
Quản lý mục tiêu	การบริหารเป้าหมาย
Manajemen Target	ရည်မှန်းချက်အတွက်စီမံခန့်ခွဲခြင်း

□ 102	もくひょう **目標** mokuhyō	goal/target	目标
		mục tiêu	เป้าหมาย
		target	ရည်မှန်းချက်

今年（ことし）の　売上目標（うりあげもくひょう）を　達成（たっせい）しました。
We have achieved this year's sales target. / 完成了今年的销售目标。
Chúng ta đã đạt được mục tiêu doanh thu của năm nay.
ปีนี้ทำยอดขายได้ตามเป้าหมายครับ/ค่ะ
Target penjualan tahun ini telah tercapai.
ယခုနှစ်၏ အရောင်းရည်မှန်းချက်ကို ရောက်ရှိအောင်မြင်ခဲ့ပါသည်။

□ 103	ほうしん **方針** hōshin	policy	方针
		chính sách	นโยบาย
		kebijakan	မူဝါဒ

会社（かいしゃ）の　品質方針（ひんしつほうしん）が　わかりますか。
Do you understand the company's quality policy? / 理解公司的质量方针吗?
Bạn có hiểu chính sách về chất lượng của công ty không?
ทราบนโยบายด้านคุณภาพของบริษัทไหมครับ/คะ
Apakah Anda memahami kebijakan mutu perusahaan?
ကုမ္ပဏီ၏ ကုန်ပစ္စည်းအရည်အသွေးမူဝါဒကို နားလည်ပါသလား။

□ 104	けいかく **計画** (する) keikaku	plan	计划
		kế hoạch	วางแผน
		rencana	စီမံကိန်း

来週（らいしゅう）までに　コスト計画（けいかく）を　作（つく）ります。
We will prepare a cost plan by next week. / 下周之前制定好成本计划。
Chúng tôi phải lập xong kế hoạch chi phí cho đến tuần tới.
จะวางแผนต้นทุนได้ภายในสัปดาห์หน้าครับ/ค่ะ
Saya akan membuat rencana biaya sebelum minggu depan.
နောက်အပတ်မတိုင်မီ ကုန်ကျစရိတ်စီမံကိန်းကို ရေးဆွဲပါမည်။

105	きょうりょく **協力** (する) kyōryoku	cooperate	协力／合作
		hợp tác	ร่วมมือ
		bekerja sama	ပူးပေါင်းဆောင်ရွက်သည်

みんなで　協力しましょう。
Let's all work together. / 我们大家齐心协力吧。
Mọi người cùng hợp tác nào.
ทุกคนมาร่วมมือกันเถอะครับ/ค่ะ
Mari kita semua bekerja sama.
အားလုံးပူးပေါင်းဆောင်ရွက်ကြရအောင်။

106	ちーむわーく **チームワーク** chīmuwāku	teamwork	团队合作
		làm việc nhóm	ทีมเวิร์ก
		kerja tim	teamwork

作業は　チームワークが　大切です。
Teamwork is essential on the job. / 工作中团队合作很重要。
Làm việc nhóm rất quan trọng trong công việc.
ในการทำงาน ทีมเวิร์คเป็นสิ่งสำคัญครับ/ค่ะ
Kerja tim penting untuk pekerjaan.
လုပ်ငန်းတွင် team work သည်အရေးကြီးပါသည်။

107	ひょうか **評価** (する) hyōka	evaluate	[进行] 评价
		đánh giá	ประเมิน
		menilai	အကဲဖြတ်သည်

品質管理の　人が　製品を　評価します。
Quality control staff evaluate the products. / 质量管理的人评价产品。
Người quản lý chất lượng sẽ thực hiện đánh giá sản phẩm.
คนของฝ่ายควบคุมคุณภาพเป็นผู้ประเมินผลิตภัณฑ์ครับ/ค่ะ
Orang manajemen mutu akan menilai produk.
ကုန်ပစ္စည်းအရည်အသွေးကြီးကြပ်သူသည် ထုတ်ကုန်ကိုအကဲဖြတ်ပါသည်။

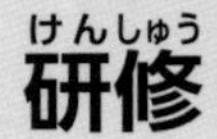

ユニット 15

研修（けんしゅう）

Training / 培训

Đào tạo / การฝึกอบรม

Pelatihan / လေ့ကျင့်ရေး

108	けんしゅう	conduct/undertake a training	［进行／参加］培训
	研修（する）	đào tạo	ฝึกอบรม
	kenshū	menjalani pelatihan	လေ့ကျင့်ရေး ပြုလုပ်သည်

日本で　3月まで　研修します。

I will be trained in Japan through March. / 在日本研修到 3 月。

Tôi tham gia đào tạo tại Nhật cho đến tháng 3.

ฝึกอบรมที่ญี่ปุ่นถึงเดือนมีนาคมครับ/ค่ะ

Saya akan menjalani pelatihan di Jepang hingga Maret.

ဂျပန်တွင် 3လပိုင်းအထိ လေ့ကျင့်ရေးပြုလုပ်ပါမည်။

109	じっしゅう	have practical training	［进行］实习
	実習（する）	thực tập	ฝึกงาน
	jisshū	magang	လက်တွေ့သင်ယူသည်

ABC 工場で　実習して　います。

I am being trained at the ABC factory. / 我在 ABC 工厂实习。

Tôi đang thực tập tại nhà máy ABC.

กำลังฝึกงานอยู่ที่โรงงาน ABC ครับ/ค่ะ

Saya magang di pabrik ABC.

ABC စက်ရုံတွင် လက်တွေ့သင်ယူနေပါသည်။

110	けんがく	visit a place to study it	参观学习
	見学（する）	tham quan	ทัศนศึกษา
	kengaku	melakukan studi tur	လေ့လာခြင်း

今日は　第一工場を　見学しましょう。

Let's tour Plant No. 1 today. / 今天参观第一工厂吧。

Hôm nay chúng ta sẽ cùng tham quan nhà máy số 1.

วันนี้จะไปทัศนศึกษาโรงงานที่ 1 กันนะครับ/คะ

Mari melakukan studi tur di pabrik I hari ini.

ယနေ့ စက်ရုံအမှတ်၁ကို လေ့လာကြရအောင်။

111	にっぽう **日報** nippō	daily report	日报
		báo cáo hằng ngày	รายงานประจำวัน
		laporan harian	နေ့စဉ်အစီရင်ခံစာ

帰(かえ)る　前(まえ)に　日報(にっぽう)を　書(か)いて　ください。
Please write a daily report before you leave. / 回家之前请写日报。
Hãy viết báo cáo hằng ngày trước khi về.
ก่อนกลับกรุณาเขียนรายงานประจำวันด้วยครับ/ค่ะ
Tulislah laporan harian sebelum Anda pulang.
မပြန်ခင် နေ့စဉ်အစီရင်ခံစာကို ရေးပါ။

112	しゅうほう **週報** shūhō	weekly report	周报
		báo cáo hàng tuần	รายงานประจำสัปดาห์
		laporan mingguan	အပတ်စဉ်အစီရင်ခံစာ

週報(しゅうほう)は　日本語(にほんご)で　書(か)いて　ください。
Please write the weekly report in Japanese. / 请用日语写周报。
Hãy viết báo cáo hằng tuần bằng tiếng Nhật.
กรุณาเขียนรายงานประจำสัปดาห์ เป็นภาษาญี่ปุ่นด้วยนะครับ/คะ
Tulislah laporan mingguan dalam bahasa Jepang.
အပတ်စဉ်အစီရင်ခံစာကို ဂျပန်စာဖြင့် ရေးပါ။

113	げっぽう **月報** geppō	monthly report	月报
		báo cáo hàng tháng	รายงานประจำเดือน
		laporan bulanan	လစဉ် အစီရင်ခံစာ

課長(かちょう)に　月報(げっぽう)を　出(だ)して　ください。
Please submit the monthly report to the section manager. / 请向科长提交月报。
Hãy nộp báo cáo hằng tháng cho trưởng phòng.
กรุณาส่งรายงานประจำเดือนให้ผู้จัดการฝ่ายด้วยครับ/ค่ะ
Kirimlah laporan bulanan ke manajer divisi.
ဌာနမှူးထံသို့ လစဉ်အစီရင်ခံစာကို တင်ပြပါ။

114	ほうこくしょ **報告書** hōkokusho	report	报告书
		bản báo cáo	ใบรายงาน
		laporan	အစီရင်ခံစာ

検査(けんさ)の　報告書(ほうこくしょ)を　読(よ)みます。
I will read the inspection report. / 阅读检查报告书。
Tôi đọc bản báo cáo kiểm tra.
อ่านใบรายงานการตรวจสอบครับ/ค่ะ
Membaca laporan inspeksi.
စစ်ဆေးမှုအစီရင်ခံစာကို ဖတ်ပါမည်။

115	まにゅある **マニュアル** manyuaru	manuals	使用指南／手册
		tài liệu hướng dẫn	คู่มือ
		manual	လက်စွဲစာအုပ်

マニュアルを　見(み)ても　いいですか。
May I look at the manual? / 我可以看操作手册吗?
Tôi có thể xem tài liệu hướng dẫn được không?
ขอดูคู่มือได้ไหมครับ/คะ
Bolehkah saya melihat manual?
လက်စွဲစာအုပ် ကို ကြည့်လို့ရပါသလား။

116	るーる **ルール** rūru	rules	规则
		quy tắc	กฎ
		aturan	စည်းကမ်း

ルールを　守(まも)らなければ　なりません。
You must follow the rules. / 必须遵守规则。
Bạn phải tuân thủ các quy tắc.
ต้องปฏิบัติตามกฎครับ/ค่ะ
Anda harus mematuhi aturan.
စည်းကမ်းများကို မလိုက်နာ၍မရပါ။

ユニット 16

書類(しょるい)

Documents / 文件
Văn bản / เอกสาร
Dokumen / စာရွက်စာတမ်း

☐ 117	しょるい **書類** shorui	documents	文件
		văn bản	เอกสาร
		dokumen	စာရွက်စာတမ်း

書類(しょるい)を　コピーしても　いいですか。
May I copy this document? / 我可以复印文件吗?
Tôi có thể photo văn bản này được không?
ขอถ่ายสำเนาเอกสารนี้ได้ไหมครับ/คะ
Bolehkah saya memfotokopi dokumen?
စာရွက်စာတမ်းများကို မိတ္တူကူးလို့ရပါသလား။

☐ 118	しりょう **資料** shiryō	materials/data	资料
		tài liệu	เอกสารข้อมูล
		materi/data	အချက်အလက်များ

もう　資料(しりょう)は　作(つく)りましたか。
Have you prepared the materials yet? / 资料已经做好了吗?
Bạn đã soạn xong tài liệu chưa?
ทำเอกสารข้อมูลเสร็จแล้วหรือยังครับ/คะ
Apakah Anda sudah membuat materi?
အချက်အလက်များကို ပြုလုပ်ပြီးသွားပြီလား။

☐ 119	しよう／しようしょ **仕様／仕様書** shiyō/shiyōsho	specification	规格／规格说明书
		thông số kỹ thuật/ bản thông số kỹ thuật	สเปก/ใบสเปก
		spesifikasi	အသေးစိတ်ဖော်ပြချက်/ အသေးစိတ်ဖော်ပြလွှာ

仕様(しよう)を　確認(かくにん)してから　作(つく)ります。
We will make the product after checking the specifications. / 确认规格后再做。
Chúng tôi thực hiện sau khi kiểm tra các thông số kỹ thuật.
จะทำหลังตรวจสอบยืนยันสเปคแล้วครับ/ค่ะ
Membuat setelah memastikan spesifikasinya.
အသေးစိတ်ဖော်ပြချက်များကိုစစ်ဆေးပြီးနောက်မှပြုလုပ်ပါမည်။

120	ずめん	(technical) drawing	图纸
	図面	bản vẽ	แบบงาน
	zumen	gambar teknik	ဒီဇိုင်းပုံကြမ်း

よく　図面を　読んで（見て）　ください。

Please look at the drawings closely. / 请仔细看图纸。

Hãy xem kỹ bản vẽ.

กรุณาดูแบบงานให้ดี ๆนะครับ/คะ

Lihatlah gambar tekniknya dengan cermat.

ဒီဇိုင်းပုံကြမ်းကို သေချာကြည့်ပါ။

121	みつもりしょ	quotation	报价单
	見積書	báo giá	ใบเสนอราคา
	mitsumorisho	surat penawaran	ခန့်မှန်းငွေစာရင်း

見積書を　お客様に　送りましたか。

Did you send the quotation to the customer? / 把报价单发给客人了吗?

Bạn đã gửi bảng báo giá cho khách hàng chưa?

ส่งใบเสนอราคาให้กับลูกค้าหรือยังครับ/คะ

Apakah Anda sudah mengirimkan surat penawaran ke pelanggan?

ခန့်မှန်းငွေစာရင်းကို customerထံသို့ ပို့ပြီးသွားပြီလား။

122	せいきゅうしょ	bill	请款单
	請求書	hóa đơn thanh toán	ใบแจ้งหนี้
	seikyūsho	surat tagihan	ငွေတောင်းခံစာ

いつ　請求書を　もらいましたか。

When did you receive the bill? / 你什么时候拿到账单的?

Bạn đã nhận được hóa đơn thanh toán khi nào?

ได้รับใบแจ้งหนี้เมื่อไหร่ครับ/คะ

Kapan Anda menerima surat tagihan?

ဘယ်အချိန်မှာ ငွေတောင်းခံစာကို ရခဲ့ပါသလဲ။

123	りょうしゅうしょ	receipt	收据
	領収書	biên lai	ใบเสร็จรับเงิน
	ryōshūsho	kuitansi	ငွေလက်ခံဖြတ်ပိုင်း

すみません。領収書を　ください。

Excuse me. May I have a receipt? / 对不起。请给我收据。

Xin lỗi. Hãy đưa biên lai cho tôi.

ขอโทษครับ/ค่ะ ขอใบเสร็จรับเงินด้วยครับ/ค่ะ

Maaf. Minta kuitansi.

တစ်ဆိတ်လောက် ငွေလက်ခံဖြတ်ပိုင်းပေးပါ။

□ 124	めいさいしょ **明細書** meisaisho	detailed statement	明细单
		hóa đơn chi tiết	ใบแจงรายละเอียด
		slip perincian	အသေးစိတ်စာရင်း

すみませんが、明細書(めいさいしょ)も　ください。

Excuse me, but may I also have a detailed statement? / 对不起，还请给我明细单。

Xin lỗi, hãy đưa cho tôi cả hóa đơn chi tiết nữa.

ขอโทษครับ/ค่ะ ขอใบแจงรายละเอียดด้วยครับ/ค่ะ

Maaf. Minta slip perincian juga.

အားနာပေမယ့် ငွေအသေးစိတ်စာရင်းကိုလည်း ပေးပါ။

ユニット 17

うりあげ 売上

Sales	营业额
Doanh thu	ยอดขาย
Penjualan	ရောင်းအား

125	おきゃくさま **お客様** okyakusama	customer	顾客
		khách hàng	ลูกค้า
		pelanggan	ဝယ်ယူသုံးစွဲသူ

お客様(きゃくさま)から　クレームが　ありました。
We have received a complaint from a customer. / 收到了顾客的投诉。
Đã có khiếu nại từ khách hàng.
มีการร้องเรียนจากลูกค้าครับ/คะ
Ada klaim dari pelanggan.
ဝယ်ယူသုံးစွဲသူထံမှ complain ရှိခဲ့ပါသည်။

126	うりあげ **売上** uriage	sales	营业额
		doanh thu	ยอดขาย
		penjualan	ရောင်းအား

今月(こんげつ)の　売上(うりあげ)を　報告(ほうこく)しました。
We have reported this month's sales. / 报告了这个月的销售额。
Chúng tôi đã báo cáo doanh thu của tháng này.
รายงานยอดขายของเดือนนี้แล้วครับ/ค่ะ
Saya sudah melaporkan penjualan bulan ini.
ယခုလ၏ ရောင်းအားကို အစီရင်ခံခဲ့ပါသည်။

127	りえき **利益** rieki	profit	利益
		lợi nhuận	กำไร
		laba	အမြတ်

先月(せんげつ)の　利益(りえき)は　どのくらいですか。
How much was last month's profit? / 上个月的利润是多少?
Lợi nhuận tháng trước là bao nhiêu?
เดือนที่แล้วกำไรประมาณเท่าไหร่หรือครับ/คะ
Berapa laba bulan lalu?
ယခင်လ၏ အမြတ်သည် မည်မျှရှိပါသနည်း။

□ 128	こすと **コスト** kosuto	cost/expense	成本
		chi phí	ต้นทุน/ค่าใช้จ่าย
		biaya	ကုန်ကျစရိတ်

どのくらい　コストが　かかりますか。
Roughly how much will it cost? / 需要多少成本?
Chi phí tốn khoảng bao nhiêu ạ?
เสียค่าใช้จ่ายต้นทุนประมาณเท่าไหร่ครับ/คะ
Kira-kira makan biaya berapa?
ကုန်ကျစရိတ် မည်မျှ ရှိမည်နည်း။

□ 129	けいひ **経費** keihi	cost/expense	经费
		kinh phí	ค่าใช้จ่าย
		biaya operasional	ကုန်ကျစရိတ်

先月(せんげつ)は　経費(けいひ)が　たくさん　かかりました。
Last month's expenses were high. / 上个月花了很多经费。
Tháng trước tốn quá nhiều kinh phí.
เดือนที่แล้วเสียค่าใช้จ่ายไปมากเลยครับ/ค่ะ
Bulan lalu makan banyak biaya operasional.
ယခင်လတွင် ကုန်ကျစရိတ်များ များစွာ ကုန်ကျခဲ့ပါသည်။

□ 130	かかく **価格** kakaku	price	价格
		giá	ราคา
		harga	ဈေးနှုန်းတန်ဖိုး

この　材料(ざいりょう)の　価格(かかく)は　いくらですか。
What is the price of this material? / 这个材料的价格是多少?
Giá của vật liệu này là bao nhiêu?
วัตถุดิบนี้ราคาเท่าไหร่ครับ/คะ
Berapa harga bahan baku ini?
ဤကုန်ကြမ်း၏ ဈေးနှုန်းတန်ဖိုးသည် မည်မျှနည်း။

ユニット 18

品質管理（ひんしつかんり）

Quality control　品质管理

Quản lý chất lượng　การควบคุมคุณภาพ

Manajemen Mutu　ကုန်ပစ္စည်းအရည်အသွေး စီမံခန့်ခွဲခြင်း

□ 131	かんり 管理 (する) kanri	control	管理
		quản lý	จัดการ/บริหาร/ควบคุม
		mengelola	စီမံခန့်ခွဲရန်

倉庫で　在庫を　管理して　います。
We control stock in the warehouse. / 我在仓库管理库存。
Chúng tôi quản lý hàng tồn kho.
กำลังจัดการสต๊อกอยู่ที่โกดังครับ/ค่ะ
Kami mengelola stok di gudang.
ဂိုဒေါင်တွင် လက်ကျန်ပစ္စည်းများကို စီမံခန့်ခွဲနေပါသည်။

□ 132	ひんしつかんり 品質管理 hinshitsu-kanri	quality control	品质管理
		quản lý chất lượng	การควบคุมคุณภาพ
		manajemen mutu	ကုန်ပစ္စည်းအရည်အသွေး စီမံခန့်ခွဲခြင်း

私の　仕事は　品質管理です。
I work in quality control. / 我的工作是质量管理。
Công việc của tôi là quản lý chất lượng.
งานของผม/ดิฉันคือการควบคุมคุณภาพครับ/ค่ะ
Pekerjaan saya adalah manajemen mutu.
ကျွန်တော်၏ အလုပ်သည် ကုန်ပစ္စည်းအရည်အသွေးစီမံခန့်ခွဲခြင်း ဖြစ်ပါသည်။

買い手の要求に応え得る品質を提供するための、製品やサービスの向上を図る一連の活動。
The series of activities intended to improve products and services in order to deliver quality capable of satisfying buyers' requirements.
为了提供能满足买方要求的质量，谋求提高产品和服务的一系列活动。
Đây là chuỗi hoạt động nhằm cải thiện sản phẩm và dịch vụ để mang đến chất lượng có thể đáp ứng yêu cầu của người mua hàng.
ขั้นตอนการดำเนินงานในการวางแผนพัฒนาผลิตภัณฑ์หรือบริการ เพื่อนำเสนอคุณภาพสินค้าที่ตอบโจทย์ความต้องการของผู้ซื้อได้
Serangkaian aktivitas untuk meningkatkan produk maupun jasa agar dapat memberikan mutu yang dapat memenuhi permintaan pembeli.
ဝယ်သူ၏ တောင်းဆိုမှုနှင့် ကိုက်ညီသော အရည်အသွေးကို ပေးနိုင်ရန် ထုတ်ကုန်နှင့် ဝန်ဆောင်မှုကို တိုးတက်ရန် စီမံရမည့် လုပ်ဆောင်ချက်များ။

133	ひんしつほしょう **品質保証** hinshitsu-hoshō	quality assurance	品质保证
		đảm bảo chất lượng	การประกันคุณภาพ
		jaminan mutu	ကုန်ပစ္စည်းအရည်အသွေး အာမခံချက်

品質保証(ひんしつほしょう)の　仕事(しごと)が　したいです。

I would like to work in quality assurance. / 我想做质量保证的工作。

Tôi muốn làm công việc đảm bảo chất lượng.

อยากทำงานด้านการรับประกันคุณภาพสินค้าครับ/ค่ะ

Saya ingin melakukan pekerjaan jaminan mutu.

ကုန်ပစ္စည်းအရည်အသွေးအာမခံအလုပ်ကို လုပ်ချင်ပါတယ်။

製品(せいひん)やサービスが買(か)い手(て)の要求(ようきゅう)する品質(ひんしつ)を満(み)たしていることを保証(ほしょう)する一連(いちれん)の活動(かつどう)。

The series of activities intended to guarantee that products and services satisfy buyers' required quality.

确保产品和服务满足买方要求的质量的一系列活动。

Đây là chuỗi hoạt động bảo đảm các sản phẩm và dịch vụ thỏa mãn yêu cầu về chất lượng của người mua.

ขั้นตอนการดำเนินงานในการรับประกันความพึงพอใจในคุณภาพของสินค้าหรือบริการที่ลูกค้าต้องการ

Serangkaian aktivitas untuk menjamin bahwa mutu produk maupun jasa telah memenuhi permintaan pembeli.

ထုတ်ကုန်နှင့် ဝန်ဆောင်မှုကို ဝယ်သူ၏ တောင်းဆိုမှုနှင့် ကိုက်ညီသော အရည်အသွေး ပြည့်မှီနေသည်ကို အာမခံနိုင်သော ဆက်လက် လုပ်ဆောင်ချက်များ။

134	かいぜん **カイゼン** kaizen

作業効率(さぎょうこうりつ)や安全性(あんぜんせい)の向上(こうじょう)のために、現場(げんば)から主体的(しゅたいてき)に作業方法(さぎょうほうほう)を見直(みなお)す活動(かつどう)。

Activities to actively review work methods from the workplace, in order to improve work efficiency, safety, etc.

为了提高作业效率和安全性，由现场主导的重新审视作业方法的活动。

Đây là hoạt động chủ động xem xét lại phương pháp làm việc từ hiện trường để cải thiện hiệu suất làm việc và tính an toàn.

กิจกรรมเพื่อการปรับปรุงแก้ไขวิธีการทำงานที่หน้างานจริงโดยการคิดและทำกันเอง เพื่อเพิ่มประสิทธิภาพหรือความปลอดภัยของการทำงาน

Aktivitas perbaikan cara kerja secara mandiri dari lapangan agar dapat meningkatkan efisiensi kerja maupun keselamatan.

လုပ်ငန်းတွင်း ထိရောက်မှုနှင့် လုံခြုံစိတ်ချရမှုများ တိုးတက်လာ ရန်အတွက် လုပ်ငန်းခွင်ရှိ လုပ်ပုံနည်းလမ်းများအား လွတ်လပ်စွာ ပြန်လည်သုံးသပ်ရန် လုပ်ဆောင်ချက်များ။

□ 135	せいさんせい **生産性** seisansei	productivity	生产率
		năng suất	ประสิทธิผล
		produktivitas	ကုန်ထုတ်စွမ်းအား

作業は　生産性が　大切です。

Productivity is important to work. / 工作的生产效率很重要。

Năng suất rất quan trọng đối với công việc.

ในการทำงาน “ประสิทธิผล” เป็นสิ่งสำคัญครับ/ค่ะ

Produktivitas penting dalam pekerjaan.

လုပ်ငန်းတွင် ထုတ်လုပ်နိုင်မှုအား သည် အရေးကြီးသည်။

生産性＝生産出来高÷生産資源（労働力、原材料、設備、エネルギーなど）

Productivity = Production output ÷ production inputs (labor, raw materials, equipment, energy, etc.)

生产率 = 产量 ÷ 生产资源（劳动力、原材料、设备、能源等）

Năng suất = Sản lượng sản xuất ÷ tài nguyên sản xuất (lực lượng lao động, nguyên liệu thô, thiết bị, năng lượng, v.v...)

ประสิทธิผล = ยอดผลิต ÷ ทรัพยากรการผลิต (แรงงาน, วัตถุดิบ, อุปกรณ์, พลังงาน เป็นต้น)

Produktivitas = volume produksi ÷ sumber daya produksi (tenaga kerja, bahan baku, fasilitas, energi, dan lain-lain).

ကုန်ထုတ်စွမ်းအား = ထုတ်လုပ်ခဲ့သည့်အရေအတွက် ÷ ထုတ်လုပ်မှုအရင်းအမြစ်များ (လုပ်သားအင်အား၊ ကုန်ကြမ်း၊ စက်ရုံအဆောက်အဦ၊ စွမ်းအင် စသည်)

□ 136	ひょうじゅんか **標準化** (する) hyōjunka	standardize	标准化
		tiêu chuẩn hóa	สร้างมาตรฐาน/ ทำให้เป็นมาตรฐาน
		standarisasi	စံသတ်မှတ်ခြင်း

作業を　標準化したいです。

I want to standardize the work. / 想把作业标准化。

Tôi muốn tiêu chuẩn hóa công việc.

อยากสร้างมาตรฐานในการทำงานครับ/ค่ะ

Ingin menstandardisasi pekerjaan.

လုပ်ငန်းအား စံစနစ်သတ်မှတ်ချင်ပါသည်။

作業の効率化や、バラツキをなくすために、材料や作業手順などに関して標準・規格を設定し統一すること。

To set and integrate standards and norms related to materials, work procedures, etc. for purposes such as improving work efficiency and eliminating variation.

为了提高作业效率和消除偏差，设定材料和作业步骤等的标准及规格来统一。

Đây là việc thiết lập và thống nhất các tiêu chuẩn, quy cách về nguyên liệu và trình tự làm việc để nâng cao hiệu suất làm việc và loại bỏ sự chênh lệch.

การกำหนดมาตรฐาน·เกณฑ์เกี่ยวกับวัสดุและขั้นตอนการทำงานให้เป็นหนึ่งเดียว เพื่อให้การทำงานมีประสิทธิภาพหรือทำให้ความแตกต่างหายไป

Menyeragamkan dengan menetapkan standar/spesifikasi terkait bahan baku maupun prosedur kerja untuk efisiensi kerja dan menghilangkan variabilitas.

လုပ်ငန်းတွင် မလိုအပ်သော လုပ်ငန်းစဉ်များနှင့် မတူညီကွဲပြားနေမှုများ ပျောက်ကွယ်သွားရန် ကုန်ကြမ်း၊ လုပ်ငန်းလုပ်ထုံးများနှင့် စပ်လျဉ်း၍ စံနှုန်း၊ စံချိန်စံညွှန်းများကို ဖန်တီးပြီး တူညီအောင် လုပ်ခြင်း။

パート２　分野別語彙　ＩＴ

Part 2　Sectoral Vocabulary　IT
第 2 部分　各领域词汇　IT
Phần 2　Từ vựng theo lĩnh vực　IT
ส่วนที่ 2　คำศัพท์เฉพาะสาขา　IT
Bagian 2　Kosakata Tiap Bidang　IT
အပိုင်း 2　ကဏ္ဍအလိုက်ဝေါဟာရများ　IT

ユニット 1　一般
ユニット 2　システム
ユニット 3　WEB・端末
ユニット 4　人員
ユニット 5　スケジュール
ユニット 6　資料
ユニット 7　開発工程
ユニット 8　テスト
ユニット 9　システム運用
ユニット 10　作業
ユニット 11　E メール

ユニット 1

一般（いっぱん）

General / 一般
Tổng hợp / ทั่วไป
Kosakata Umum / အထွေထွေ

□ 137	じょうほう **情報** jōhō	information thông tin informasi	信息 ข้อมูล သတင်းအချက်အလက်
□ 138	じょうほうぎじゅつ **情報技術** jōhō-gijutsu	IT công nghệ thông tin teknologi informasi	信息技术 เทคโนโลยีสารสนเทศ သတင်းအချက်အလက်နည်းပညာ
□ 139	ぷろぐらみんぐ **プログラミング** (する) puroguramingu	program lập trình memprogram	编程 เขียนโปรแกรม ပရိုဂရမ်းမင်းပြုလုပ်သည်

この　システムは　C言語（げんご）で　プログラミングしました。
This system was programmed in C language. / 这个系统是用 C 语言编程的。
Hệ thống này đã được lập trình bằng ngôn ngữ C.
ระบบนี้เขียนโปรแกรมด้วยภาษา C
Sistem ini diprogram dengan bahasa C.
ဤစနစ်ကို C ဘာသာစကားဖြင့် ပရိုဂရမ်းမင်းပြုလုပ်ထားသည်။

□ 140	かいはつげんご **開発言語** kaihatsu-gengo	programming language ngôn ngữ lập trình phần mềm bahasa pemrograman	开发语言 ภาษาที่ใช้พัฒนา ရေးဆွဲဘာသာစကား
□ 141	つーる **ツール** tsūru	tool công cụ perangkat	工具 ทูล/เครื่องมือ tool

142	つうしん **通信** (する) tsūshin	communicate	通讯
		truyền thông/truyền tín hiệu	สื่อสารด้วยสัญญาณ
		berkomunikasi	ဆက်သွယ်သည်

143	ふぁいる **ファイル** fairu	file	文件
		tệp	ไฟล์
		file	ဖိုင်/file

1つ目の　ファイルを　開いて　ください。
Open the first file. / 请打开第一个文件。
Hãy mở tệp đầu tiên.
กรุณาเปิดไฟล์ที่ 1
Silakan membuka file pertama.
နံပါတ် 1 ဖိုင်ကိုဖွင့်ပါ။

144	ふぉるだー **フォルダー** forudā	directory/folder	文件夹
		thư mục	โฟลเดอร์
		folder	ဖိုင်တွဲ/folder

すみません。どの　フォルダーに　ファイルを　入れましたか。
Excuse me, but in which directory did you put the file? / 请问。你将文件放在哪个文件夹里了?
Xin lỗi. Bạn đã để tệp vào thư mục nào?
ขอโทษนะ คุณใส่ไฟล์ไว้ในโฟลเดอร์ไหน
Maaf. Filenya disimpan di folder yang mana?
တစ်ဆိတ်လောက်မေးပါရစေ။ဘယ်FolderထဲမှာFileကိုထည့်ထားတာလဲ။

「フォルダ」と書くこともあります。
Also written "フォルダ".
有时也写成"フォルダ"。
Còn được viết là "フォルダ".
บางครั้งก็เขียนว่า "フォルダ"
Ada kalanya ditulis "フォルダ".
"フォルダ" ဟုလည်းရေးတတ်သည်။

□ 145	てきすと **テキスト** tekisuto	text	文本
		văn bản	ตัวอักษร
		teks	စာသား

音声(おんせい)を　テキストデータに　変換(へんかん)します。
Convert audio data into text data. / 将声音转换为文本数据。
Chuyển đổi âm thanh thành dữ liệu văn bản.
แปลงเสียงเป็นข้อมูลตัวอักษร
Suara diubah ke data teks.
အသံကို စာသားဒေတာသို့ ပြောင်းမည်။

□ 146	がめん **画面** gamen	screen	画面
		màn hình	จอภาพ
		layar	မျက်နှာပြင်/screen
□ 147	れいあうと **レイアウト** (する) reiauto	lay out	配置
		bố cục	เลย์เอาท์
		menata letak	နေရာချချိန်ညှိသည်

ユニット 2

システム（しすてむ）

System	系统
Hệ thống	ระบบ
Sistem	စနစ်/System

□ 148	しすてむ **システム** shisutemu	system	系统
		hệ thống	ระบบ
		sistem	စနစ်/system
□ 149	はーどうぇあ **ハードウェア** hādouea	hardware	硬件
		phần cứng	ฮาร์ดแวร์
		perangkat keras	ဟာ့ဒ်ဝဲ

技術部(ぎじゅつぶ)で　ハードウェアを　開発(かいはつ)して　います。
Hardware is developed in the Engineering Department. / 在技术部开发硬件。
Bộ phận kỹ thuật đang phát triển phần cứng.
ฝ่ายเทคนิคกำลังพัฒนาฮาร์ดแวร์
Perangkat keras dikembangkan di Bagian Teknik.
နည်းပညာဌာနတွင် ဟာ့ဒ်ဝဲကို တီထွင်နေသည်။

□ 150	そふとうぇあ **ソフトウェア** sofutouea	software	软件
		phần mềm	ซอฟต์แวร์
		perangkat lunak	ဆော့ဖ်ဝဲ

ソフトウェアの　開発(かいはつ)チームで　働(はたら)いて　います。
I work on a software development team. / 我在软件开发团队工作。
Tôi đang làm việc trong nhóm phát triển phần mềm.
ทำงานอยู่ในทีมพัฒนาซอฟต์แวร์
Saya bekerja di tim pengembangan perangkat lunak.
ဆော့ဖ်ဝဲရေးသည့်အသင်းတွင် အလုပ်လုပ်နေသည်။

151	あぷり／あぷりけーしょん	app/application	APP
	アプリ／アプリケーション	ứng dụng	แอป/แอปพลิเคชัน
	apuri/apurikēshon	aplikasi	အပ်ပလီ/ အပ်ပလီကေးရှင်း

アプリの　インストールが　できました。
I installed the app. / APP 安装完毕。
Tôi đã cài đặt được ứng dụng.
ติดตั้งแอปได้แล้ว
Aplikasi sudah dapat diinstal.
အပ်ပလီကေးရှင်းကို install လုပ်နိုင်သွားသည်။

152	でーた	data	数据
	データ	dữ liệu	ข้อมูล
	dēta	data	ဒေတာ

データを　加工(かこう)して　保存(ほぞん)しました。
I processed and saved the data. / 加工并保存了数据。
Tôi đã xử lý và lưu trữ dữ liệu.
ประมวลผลข้อมูลและเก็บบันทึกไว้แล้ว
Saya mengolah data dan menyimpannya.
ဒေတာကို ထပ်ပေါင်းထည့်ပြီး သိမ်းထားလိုက်သည်။

153	でーたべーす	database	数据库
	データベース	cơ sở dữ liệu	ฐานข้อมูล
	dētabēsu	basis data	ဒေတာဘေ့စ်

この　システムで　データベースを　使(つか)って　います。
This system uses a database. / 这个系统中使用数据库。
Tôi đang sử dụng cơ sở dữ liệu trên hệ thống này.
ใช้ฐานข้อมูลกับระบบการทำงานนี้
Sistem ini menggunakan basis data.
ဤစနစ် (system)တွင် ဒေတာဘေ့စ်ကို အသုံးပြုနေသည်။

154	ぷらっとふぉーむ	platform	平台
	プラットフォーム	nền tảng	แพลตฟอร์ม
	purattofōmu	platform	platform

155	いんふら	infrastructure	基础设施
	インフラ	cơ sở hạ tầng	โครงสร้างพื้นฐาน
	infura	infrastruktur	infrastructure

□ 156	きばん **基盤** kiban	base	基础
		nền tảng cơ sở	รากฐาน
		basis	မူလအခြေခံ
□ 157	ねっとわーく **ネットワーク** nettowāku	network	网络
		mạng/mạng lưới	เน็ตเวิร์ค
		jaringan	ကွန်ယက်/network
□ 158	さーばー **サーバー** sābā	server	服务器
		máy chủ	เซิร์ฟเวอร์
		server	ဆာဗာ

サーバーに 接続(せつぞく)が できませんでした。
I could not connect to the server. / 无法连接到服务器。
Không thể kết nối đến máy chủ.
ไม่สามารถเชื่อมต่อกับเซิร์ฟเวอร์ได้
Tidak dapat terhubung ke server.
ဆာဗာနှင့် ချိတ်ဆက်မရနိုင်ခဲ့ပါ။

「サーバ」と書(か)くこともあります。
Also written "サーバ".
有时也写成"サーバ"。
Còn được viết là "サーバ".
บางครั้งก็เขียนว่า "サーバ"
Ada kalanya ditulis "サーバ".
"サーバ" ဟုလည်း ရေးတတ်သည်။

□ 159	かんきょうこうちく **環境構築** kankyō-kōchiku	environment setup	环境构筑
		tạo môi trường	การสร้างสภาพแวดล้อม
		penataan lingkungan	အသုံးပြုမှုပတ်ဝန်းကျင်တည်ဆောက်ခြင်း

システムの 開発(かいはつ)から 環境構築(かんきょうこうちく)まで 行(おこな)って います。
We handle everything from system development to environment setup.
我们实施从系统开发到环境构筑。
Chúng tôi tiến hành từ phát triển hệ thống đến tạo dựng môi trường.
เราดำเนินการตั้งแต่การพัฒนาระบบไปจนถึงการสร้างสภาพแวดล้อม
Kami melakukan mulai dari pengembangan sistem hingga penataan lingkungan.
စနစ် (system) တည်ထောင်ခြင်းမှ အသုံးပြုမှုပတ်ဝန်းကျင်တည်ဆောက်ခြင်းအထိ လုပ်နေပါသည်။

160	しすてむこうちく **システム構築** shisutemu-kōchiku	system construction	系统构筑
		xây dựng hệ thống	การสร้างระบบ
		pembangunan sistem	စနစ် (system) တည်ဆောက်ခြင်း

ABC 社(しゃ)が　システム構築(こうちく)を　行(おこな)って　います。

ABC Co. handles system construction. / ABC 公司正在进行系统构筑。

Công ty ABC đang tiến hành xây dựng hệ thống.

บริษัท ABC กำลังดำเนินการสร้างระบบ

Perusahaan ABC yang melakukan pembangunan sistem.

ABC ကုမ္ပဏီမှ စနစ် (system) တည်ဆောက်ခြင်းကို လုပ်ဆောင်နေသည်။

ユニット 3

WEB・端末（うぇぶ・たんまつ）

Web and Device / 网络・终端 / WEB/Thiết bị đầu cuối / เว็บ·เครื่องเทอร์มินัล / WEB dan Perangkat / WEB၊ တာမင်နယ်

□ 161	いんたーねっと **インターネット** intānetto	internet	互联网
		internet	อินเทอร์เน็ต
		internet	အင်တာနက်
□ 162	くらうど **クラウド** kuraudo	cloud	云端
		điện toán đám mây	คลาวด์
		cloud	cloud

この　システムは　クラウドで　動（うご）いて　います。
This system runs on the cloud. / 这个系统在云端中运行。
Hệ thống này chạy trên điện toán đám mây.
ระบบนี้ทำงานด้วยคลาวด์
Sistem ini beroperasi dengan cloud.
ဤစနစ် (system) မှာ cloud တွင် လုပ်ဆောင်နေသည်။

□ 163	おんぷれみす **オンプレミス** onpuremisu	on-premises	内部专属
		lưu trữ dữ liệu tại chỗ	ออนพรีมิส
		on-premises	on-premises
□ 164	ぶらうざ **ブラウザ** burauza	browser	浏览器
		trình duyệt	เบราว์เซอร์
		browser	browser

ブラウザは　何（なに）を　使（つか）って　いますか。
Which browser do you use? / 使用的是什么浏览器?
Bạn đang sử dụng trình duyệt nào?
ใช้เบราว์เซอร์อะไรอยู่
Anda menggunakan browser apa?
Browserက ဘာကိုသုံးနေတာလဲ။

☐ 165	うぇぶさいと	website	网站
	ウェブサイト	trang web	เว็บไซต์
	webusaito	situs web	ဝက်ဘ်ဆိုဒ်

☐ 166	おんらいん	online	在线
	オンライン	trực tuyến	ออนไลน์
	onrain	online/daring	အွန်လိုင်း

午後(ごご)は　オンラインで　会議(かいぎ)が　あります。
There is an online meeting this afternoon. / 下午有在线开会。
Chiều nay, tôi có một cuộc họp trực tuyến.
จะมีการประชุมออนไลน์ในช่วงบ่าย
Ada rapat online/daring siang hari.
နေ့လည်ပိုင်းတွင် အွန်လိုင်းဖြင့် အစည်းအဝေးလုပ်ရန်ရှိသည်။

☐ 167	だうんろーど	download	下载
	ダウンロード (する)	tải xuống	ดาวน์โหลด
	daunrōdo	mengunduh	ဒေါင်းလုတ်ပြုလုပ်သည်

ソフトウェアを　ダウンロードしないで　ください。
Do not download software. / 请不要下载软件。
Xin đừng tải phần mềm xuống.
กรุณาอย่าดาวน์โหลดซอฟต์แวร์
Jangan mengunduh perangkat lunak.
ဆော့ဖ်ဝဲကို ဒေါင်းလုတ် မပြုလုပ်ပါနှင့်။

☐ 168	あくせす	access	访问
	アクセス (する)	truy cập	เข้าถึง
	akusesu	mengakses	accessလုပ်သည်/ ဝင်ရောက်သည်

この　フォルダーは　誰(だれ)でも　アクセスが　できます。
Anybody can access this directory. / 任何人都可以访问这个文件夹。
Bất kỳ ai cũng có thể truy cập thư mục này.
ไม่ว่าใครก็สามารถเข้าถึงโฟลเดอร์นี้ได้
Folder ini dapat diakses oleh siapa pun.
ဤ Folderထဲကို မည်သူမဆို accessလုပ်နိုင်သည်။

□ 169	ぱすわーど **パスワード** pasuwādo	password	密码
		mật khẩu	รหัสผ่าน
		kata sandi	စကားဝှက်/password

毎月(まいつき) パスワードを 変更(へんこう)して ください。
Change your password monthly. / 请每月更改密码。
Hãy thay đổi mật khẩu của bạn hằng tháng.
กรุณาเปลี่ยนรหัสผ่านทุกเดือน
Ubahlah kata sandi setiap bulan.
လစဉ် Password ကို ပြောင်းပါ။

□ 170	ろぐいん **ログイン** (する) roguin	log in	登录
		đăng nhập	เข้าสู่ระบบ
		login	log in ဝင်သည်

システムに ログインが できませんでした。
I could not log in to the system. / 无法登录系统。
Tôi không thể đăng nhập vào hệ thống.
ไม่สามารถเข้าสู่ระบบได้
Saya tidak bisa login ke sistem.
System သို့ Login ဝင်၍မရခဲ့ပါ။

□ 171	ろぐあうと **ログアウト** (する) roguauto	log out	登出
		đăng xuất	ออกจากระบบ
		logout	log out လုပ်သည်

作業(さぎょう)が 終(お)わってから ログアウトして ください。
Log out after the work is finished. / 作业结束后请登出系统。
Sau khi hoàn thành công việc, hãy đăng xuất.
กรุณาออกจากระบบหลังจากเสร็จสิ้นการปฏิบัติงาน
Logoutlah setelah selesai kerja.
လုပ်ငန်းပြီးမှ Logout လုပ်ပါ။

172	せきゅりてぃー **セキュリティー** sekyuritī	security	安全性
		bảo mật	ความปลอดภัย
		keamanan	လုံခြုံရေးပိုင်း/security

セキュリティーに　問題が　ありましたから、修正しました。
There was a security problem, so I corrected it. / 因为安全性有问题，所以修改了。
Đã xảy ra vấn đề về bảo mật nên tôi đã khắc phục.
เนื่องจากมีปัญหาด้านความปลอดภัย จึงได้ทำการแก้ไขไปแล้ว
Saya sudah memperbaikinya karena ada masalah pada keamanan.
Security (လုံခြုံရေးပိုင်း)တွင် ပြဿနာရှိသောကြောင့်၊ ပြင်လိုက်သည်။

「セキュリティ」と書くこともあります。
Also written "セキュリティ".
有时也写成"セキュリティ"。
Còn được viết là "セキュリティ".
บางครั้งก็เขียนว่า "セキュリティ"
Ada kalanya ditulis "セキュリティ".
"セキュリティ" ဟုလည်း ရေးတတ်သည်။

173	すまーとふぉん／すまほ **スマートフォン／スマホ** sumātofon/sumaho	smartphone	智能手机
		điện thoại thông minh	สมาร์ทโฟน
		ponsel cerdas	စမတ်ဖုန်း/လက်ကိုင်ဖုန်း

「モバイル」と呼ぶ国の人もいますが、日本では主に「スマホ」と呼びます。
Some people in other countries call them "モバイル" (mobile phones) but in Japan they are mainly called "スマホ".
有称其为"モバイル"（移动终端）的国家的人，但在日本主要称之为"スマホ"。
Ở một số nước, người ta gọi là "モバイル" (điện thoại di động), nhưng ở Nhật Bản, nó chủ yếu được gọi là "スマホ".
แม้จะมีคนในบางประเทศที่เรียกว่า "モバイル" (มือถือ) แต่คนในประเทศญี่ปุ่นส่วนใหญ่จะเรียกว่า "スマホ"
Orang dari negara lain ada yang menyebutnya dengan "モバイル" (ponsel cerdas), tetapi di Jepang biasanya disebut dengan "スマホ".
"モバイル" (မိုဘိုင်း) ဟုခေါ်သောနိုင်ငံမှလူများလည်းရှိသော်လည်း၊ ဂျပန်နိုင်ငံတွင် အဓိကအားဖြင့် "スマホ" ဟုခေါ်သည်။

174	たぶれっと **タブレット** taburetto	tablet	平板电脑
		máy tính bảng	แท็บเล็ต
		tablet	တက်ဘလက်/tablet

175	たんまつ **端末** tanmatsu	terminal, device	终端
		thiết bị đầu cuối	เครื่องเทอร์มินัล
		perangkat	တာမင်နယ်/သုံးသည့်ဖုန်း သို့မဟုတ် tablet

サーバーは　大丈夫(だいじょうぶ)ですが、端末(たんまつ)に　問題(もんだい)が　あります。

The server is fine, but there's a problem with the terminal. / 服务器没问题，但终端有问题。

Máy chủ vẫn bình thường, nhưng có vấn đề ở thiết bị đầu cuối.

ที่เซิร์ฟเวอร์ไม่เป็นไร แต่มีปัญหาที่เครื่องเทอร์มินัล

Tidak ada masalah pada server, tetapi ada masalah pada perangkat.

ဆာဗာမှာ အဆင်ပြေသော်လည်း၊ တာမင်နယ်တွင် ပြဿနာရှိနေသည်။

ユニット 4

人員（じんいん）

Staff | 人员
Nhân viên | บุคลากร
Personil | လူအရေအတွက်

☐ 176	えんじにあ **エンジニア** enjinia	engineer	工程师
		kỹ sư	วิศวกร
		teknisi	အင်ဂျင်နီယာ

ソフトウェアの　エンジニアも　今日（きょう）の　会議（かいぎ）に　参加（さんか）します。
Software engineers will participate in today's meeting too. / 软件工程师也参加今天的会议。
Các kỹ sư phần mềm cũng tham gia cuộc họp hôm nay.
วิศวกรด้านซอฟต์แวร์จะเข้าร่วมการประชุมในวันนี้ด้วย
Teknisi perangkat lunak juga mengikuti rapat hari ini.
ဆော့ဖ်ဝဲအင်ဂျင်နီယာလည်း ယနေ့အစည်းအဝေးကို တက်မည်။

☐ 177	えすいー／しすてむえんじにあ **SE ／システムエンジニア** esuī/shisutemu-enjinia	SE/system engineer	SE ／系统工程师
		SE/kỹ sư hệ thống	SE/วิศวกรระบบ
		teknisi sistem	SE/system engineer

はじめまして、リンです。仕事（しごと）は　ＳＥ（えすいー）を　して　います。
Nice to meet you. My name is Lin. I work as an SE. / 初次见面，我姓林。从事系统工程师的工作。
Rất vui được gặp bạn, tôi là Linh. Công việc của tôi là SE.
ยินดีที่ได้รู้จักค่ะ ฉันชื่อลิน ทำงานเป็น SE ค่ะ
Kenalkan, nama saya Lin. Pekerjaan saya adalah teknisi sistem.
တွေ့ရတာဝမ်းသာပါတယ်၊ Lin ပါ။ အလုပ်ကတော့ SE လုပ်နေပါတယ်။

☐ 178	ぶりっじえすいー **ブリッジ SE** burijji-esuī	bridge SE	桥梁 SE ／ 桥梁系统工程师
		kỹ sư cầu nối (BrSE)	บริดจ์ SE
		teknisi sistem penghubung	bridge SE

179	ぷろぐらまー **プログラマー** puroguramā	programmer	程序员
		lập trình viên	โปรแกรมเมอร์
		pemrogram	ပရိုဂရမ်မာ

「プログラマ」と書くこともあります。
Also written "プログラマ".
有时也写成"プログラマ"。
Còn được viết là "プログラマ".
บางครั้งก็เขียนว่า "プログラマ"
Ada kalanya ditulis "プログラマ".
"プログラマ" ဟုလည်း ရေးတတ်သည်။

180	ぷろじぇくとまねーじゃー **プロジェクトマネージャー** purojekuto-manējā	project manager	项目经理
		người quản lý dự án	ผู้จัดการโครงการ
		manajer proyek	ပရောဂျက်မန်နေဂျာ

「プロジェクトマネージャ」と書くこともあります。
Also written "プロジェクトマネージャ".
有时也写成"プロジェクトマネージャ"。
Còn được viết là "プロジェクトマネージャ".
บางครั้งก็เขียนว่า "プロジェクトマネージャ"
Ada kalanya ditulis "プロジェクトマネージャ".
"プロジェクトマネージャ" ဟုလည်း ရေးတတ်သည်။

181	りーだー **リーダー** rīdā	leader	小组长／组长
		trưởng nhóm	หัวหน้า
		pemimpin	ခေါင်းဆောင်

単独（たんどく）では「リーダー」と書（か）くことが多（おお）いですが、複合語（ふくごうご）では「プロジェクトリーダ」のように後（うし）ろの「ー」を省（はぶ）くこともあります。
Usually written "リーダー" when used alone, but the "ー" is omitted in some compound words such as "プロジェクトリーダ".
单独写成"リーダー"的情况较多，但复合词中也有像"プロジェクトリーダ"那样省略后面的"ー"的情况。
Nếu đứng một mình, từ này thường được viết là "リーダー", nhưng trong các từ ghép thì có khi bỏ "ー" ở sau, ví dụ như "プロジェクトリーダ".
คำเดี่ยวมักจะเขียนว่า "リーダー" แต่ถ้าเป็นคำประสมมักจะละ "ー" ที่อยู่ด้านหลัง เช่น "プロジェクトリーダ"
Jika berdiri sendiri, sering ditulis "リーダー", namun untuk kata gabungan seperti pada "プロジェクトリーダ", tanda "ー" di belakang kata ada kalanya dihilangkan.
တစ်ယောက်တည်းဆိုလျှင် "リーダー" ဟုအရေးများသော်လည်း၊ ပေါင်းစပ်စကားလုံးတွင် "プロジェクトリーダ" ကဲ့သို့ နောက်ရှိ "ー" ကို ချန်ထားခဲ့ခြင်းလည်းရှိသည်။

□ 182	かんりしゃ **管理者** kanrisha	administrator	管理员
		người quản lý	ผู้(ควบ)คุม
		pengelola	စီမံအုပ်ချုပ်သူ/ administrator
□ 183	こんさるたんと **コンサルタント** konsarutanto	consultant	咨询师
		tư vấn viên	ที่ปรึกษา
		konsultan	အတိုင်ပင်ခံ
□ 184	めんばー **メンバー** menbā	member	成员
		thành viên	สมาชิก
		anggota	အသင်းဝင်

「メンバ」と書(か)くこともあります。
Also written "メンバ".
有时也写成"メンバ"。
Còn được viết là "メンバ".
บางครั้งก็เขียนว่า "メンバ"
Ada kalanya ditulis "メンバ".
"メンバ" ဟုလည်း ရေးတတ်သည်။

□ 185	ちーむ **チーム** chīmu	team	团队
		nhóm	ทีม
		tim	အသင်း
□ 186	ゆーざー **ユーザー** yūzā	user	用户
		người dùng	ผู้ใช้งาน
		pengguna	အသုံးပြုသူ/user

「ユーザ」と書(か)くこともあります。
Also written "ユーザ".
有时也写成"ユーザ"。
Còn được viết là "ユーザ".
บางครั้งก็เขียนว่า "ユーザ"
Ada kalanya ditulis "ユーザ".
"ユーザ" ဟုလည်း ရေးတတ်သည်။

187	えんどゆーざー **エンドユーザー** endo-yūzā	end user	最终用户
		người dùng cuối	ผู้ใช้งานที่ปลายทาง
		pengguna akhir	end user

「エンドユーザ」と書くこともあります。
Also written "エンドユーザ".
有时也写 "エンドユーザ"。
Còn được viết là "エンドユーザ".
บางครั้งก็เขียนว่า "エンドユーザ"
Ada kalanya ditulis "エンドユーザ".
"エンドユーザ" ဟုလည်း ရေးတတ်သည်။

188	こきゃく **顧客** kokyaku	customer	顾客／用户
		khách hàng	ลูกค้า
		pelanggan	ဖောက်သည်/customer

書きことばです。設計書などでは「お客様」ではなく「顧客」を使います。
This is an example of written language. Designs and other documents use "顧客" instead of "お客様" (customer).
是书面语。在设计书等中不使用 "お客様"（顾客）而是使用 "顧客"（用户）。
Đây là từ dùng trong văn viết. Trong tài liệu thiết kế, từ "顧客" được sử dụng thay cho "お客様" (khách hàng).
เป็นภาษาเขียน ตามเอกสารออกแบบจะไม่เขียนว่า "お客様" (ลูกค้า) แต่จะใช้คำว่า "顧客" แทน
Ini merupakan bahasa tulis. Dalam dokumen desain dll., "顧客" yang digunakan, bukan "お客様" (pelanggan).
အရေးစကားလုံးဖြစ်သည်။ပုံစံနှင့်လုပ်ဆောင်ပုံဖော်ပြလွှာထဲတွင် "お客様" (ဧည့်သည်) မဟုတ်ဘဲ "顧客" ဟုသုံးသည်။

<table>
<tr><td rowspan="3">☐
189</td><td>くらいあんと</td><td>client</td><td>客户</td></tr>
<tr><td>クライアント</td><td>máy khách</td><td>ไคลเอนต์</td></tr>
<tr><td>kuraianto</td><td>klien</td><td>ဖောက်သည်/client</td></tr>
</table>

「クライアント」には「客」という意味のほか、「シンクライアント」「クライアントサーバー」のように、情報提供を受けるコンピューターという意味もあります。

In addition to the meaning of "customer," "クライアント" is also used to refer to a computer provided with information, as in "シンクライアント" (thin client) or "クライアントサーバー" (client server).

"クライアント" 除了 "客户" 的意思以外，还有 "シンクライアント"（瘦客户端）"クライアントサーバー"（客户服务器）等接受信息提供的计算机的意思。

Từ "クライアント" ngoài nghĩa là "Khách", thì còn mang nghĩa là một máy tính nhận thông tin, ví dụ như "シンクライアント" (máy khách mỏng) hay "クライアントサーバー" (máy khách - máy chủ).

"クライアント" นอกจากจะมีความหมายว่า "ลูกค้า" แล้ว ยังหมายถึงคอมพิวเตอร์เพื่อรับการส่งข้อมูลด้วย เช่น "シンクライアント" (ธินไคลเอนต์) "クライアントサーバー" (ไคลเอนต์เซิร์ฟเวอร์)

"クライアント" berarti pelanggan, dan juga memiliki arti komputer yang menerima informasi seperti "シンクライアント" (klien tipis) dan "クライアントサーバー" (server klien).

"クライアント" တွင် "ဖောက်သည်" ဆိုသည့်အဓိပ္ပာယ်အပြင်၊ "シンクライアント" (Thin client) "クライアントサーバー" (Client server) စသည့်၊ သတင်းအချက်အလက်ပေးပို့မှုကိုလက်ခံရရှိရန်ကွန်ပျူတာဟူသောအဓိပ္ပာယ်လည်းရှိသည်။

<table>
<tr><td rowspan="3">□
190</td><td>すてーくほるだー</td><td>stakeholder</td><td>利益相关方</td></tr>
<tr><td>ステークホルダー</td><td>Các bên liên quan đến doanh nghiệp</td><td>ผู้มีส่วนได้ส่วนเสีย</td></tr>
<tr><td>sutēkuhorudā</td><td>pemangku kepentingan</td><td>stakeholder</td></tr>
</table>

企業の活動や経営によって、金銭に限らず何らかの影響を受ける利害関係者のこと。具体的には、消費者、株主、従業員、競合企業、取引先、行政機関など。「ステークホルダ」と書くこともあります。

This refers to parties impacted by a company's activities and management, not necessarily in financial ways. Specific examples include consumers, shareholders, employees, competitors, suppliers, and government agencies. Also written "ステークホルダ".

是指因企业的活动和经营，不仅限于金钱，还会受到某种影响的利害关系者。具体来说，消费者、股东、员工、竞争企业、客户、行政机构等。有时也写成"ステークホルダ"。

Là các bên liên quan đến lợi ích hay thiệt hại của doanh nghiệp, chịu ảnh hưởng nào đó, không chỉ là tiền bạc, bởi các hoạt động kinh doanh của doanh nghiệp đó. Cụ thể như là khách hàng, cổ đông, nhân viên, các doanh nghiệp cạnh tranh, đối tác kinh doanh, cơ quan chính phủ, v.v... Còn được viết là "ステークホルダ".

หมายถึงผู้มีส่วนได้ส่วนเสียที่ได้รับผลกระทบจากการดำเนินกิจกรรมและการบริหารจัดการบริษัท ไม่จำกัด เฉพาะตัวเงิน กล่าวอย่างเป็นรูปธรรมคือผู้บริโภค ผู้ถือหุ้น พนักงาน บริษัทคู่แข่ง คู่ค้า หน่วยงานราชการ ฯลฯบางครั้งก็เขียนว่า "ステークホルダ"

Merupakan pihak berkepentingan yang menerima suatu dampak yang tidak terbatas pada uang saja karena kegiatan maupun pengelolaan perusahaan. Secara konkretnya adalah konsumen, pemegang saham, karyawan, perusahaan pesaing, mitra bisnis, lembaga pemerintah dll. Ada kalanya ditulis "ステークホルダ".

ကုမ္ပဏီ၏လုပ်ဆောင်မှုနှင့်စီမံခန့်ခွဲမှုတို့ကြောင့်၊ ငွေကြေးတစ်ခုတည်းမဟုတ်ဘဲ သက်ရောက်မှု တစ်ခုခုကိုခံရသော အကျိုးအပြစ်ဆိုင်ရာသက်ဆိုင်သူများဖြစ်သည်။ အတိအကျဆိုရလျှင် သုံးစွဲသူ၊ အစုရှယ်ယာရှင်၊ ဝန်ထမ်း၊ ပြိုင်ဘက်ကုမ္ပဏီ၊ စီးပွားရေးလုပ်ဖော်ကိုင်ဖက်၊ အစိုးရအေဂျင်စီ စသည်တို့ဖြစ်သည်။ "ステークホルダ" ဟုလည်းရေးတတ်သည်။

ユニット 5

スケジュール(すけじゅーる)

Schedule	日程
Kế hoạch	กำหนดการ
Jadwal	အချိန်ဇယား

□ 191	すけじゅーる	schedule	日程
	スケジュール	kế hoạch	กำหนดการ
	sukejūru	jadwal	အချိန်ဇယား

開発(かいはつ)の　スケジュールを　教(おし)えて　ください。
Please tell me the development schedule. / 请告诉我开发日程。
Vui lòng cho biết kế hoạch phát triển.
กรุณาบอกกำหนดการพัฒนา
Tolong beritahu jadwal pengembangan.
ရေးသားမည့် အချိန်ဇယားကို ပြောပြပေးပါ။

□ 192	きげん	deadline	期限
	期限	thời hạn	กำหนดเวลา
	kigen	batas waktu	လုပ်ငန်းကာလ

この　作業(さぎょう)の　期限(きげん)は　いつですか。
What is the deadline for this work? / 这个工作的期限是什么时候?
Thời hạn của công việc này là khi nào?
กำหนดเวลาสำหรับงานนี้คือเมื่อไร
Kapan batas waktu pekerjaan ini?
ဤလုပ်ငန်း၏ လုပ်ငန်းကာလက ဘယ်တော့လဲ။

□ 193	しめきり	cutoff	截止日期
	締切	hạn chót	เส้นตาย
	shimekiri	tenggat waktu	သတ်မှတ်နောက်ဆုံးအချိန်

締切(しめきり)を　5月(がつ)31日(にち)に　変更(へんこう)しました。
The cutoff date was changed to May 31. / 截止日期改到了 5 月 31 日。
Hạn chót đã được thay đổi thành ngày 31/5.
เปลี่ยนเส้นตายเป็นวันที่ 31 พฤษภาคมแล้ว
Tenggat waktu sudah diganti ke tanggal 31 Mei.
သတ်မှတ်နောက်ဆုံးအချိန်ကို မေလ 31 ရက်သို့ပြောင်းလိုက်သည်။

□ 194	しんちょくひょう／しんちょくかんりひょう **進捗表／進捗管理表** shinchokuhyō/shinchoku-kanrihyō	progress sheet	进度表／进度管理表
		bảng tiến độ/bảng quản lý tiến độ	ตาราง (จัดการ) ความคืบหน้า
		tabel kemajuan	တိုးတက်မှုစီမံခန့်ခွဲမှုဇယား

進捗表を　書きました。これで　よろしいでしょうか。
I wrote up a progress sheet. Is this all right? / 写了进度表。这样可以吗?
Tôi đã viết bảng tiến độ. Bảng như vậy có ổn không?
เขียนตารางแสดงความคืบหน้าเสร็จแล้ว อย่างนี้ใช้ได้ไหม
Saya sudah mengisi tabel kemajuan. Apakah ini sudah benar?
တိုးတက်မှုဇယားကို ရေးပြီးပါပြီ။ ဒီအတိုင်း အဆင်ပြေရဲ့လား။

□ 195	しんちょくじょうきょう **進捗状況** shinchoku-jōkyō	progress	进展情况
		tình hình tiến độ	สถานะความคืบหน้า
		kondisi kemajuan	တိုးတက်မှုအခြေအနေ

では、プロジェクトの　進捗状況を　報告して　ください。
Now, would you please report on the progress of the project? / 那么，请报告项目的进展情况。
Vậy thì, hãy báo cáo tình hình tiến độ của dự án.
ถ้าเช่นนั้น กรุณารายงานสถานะความคืบหน้าของโครงการด้วย
Silakan melaporkan kemajuan proyek.
အဲ့ဒါဆို ပရောဂျက် တိုးတက်မှုအခြေအနေကို သတင်းပို့ပါ။

□ 196	しんちょくかんり **進捗管理** shinchoku-kanri	progress control	进度管理
		quản lý tiến độ	การจัดการความคืบหน้า
		manajemen kemajuan	တိုးတက်မှုစီမံခန့်ခွဲမှု

□ 197	かんりつーる **管理ツール** kanri-tsūru	management tool	管理工具
		công cụ quản lý	เครื่องมือการจัดการ
		alat manajemen	စီမံခန့်ခွဲမှု tool

198	のうひん 納品 (する) nōhin → p.85	deliver	交货
		giao hàng	ส่งมอบงาน
		mengirim barang	ပေးပို့သည်

いつまでに　納品(のうひん)しますか。
When should this be delivered? / 什么时候之前交货?
Khi nào bạn sẽ giao hàng?
จะส่งมอบงานเมื่อไหร่
Mengirim barangnya harus dilakukan sampai kapan?
ဘယ်အချိန် နောက်ဆုံးထား ပေးပို့မှာလဲ။

199	りりーす リリース (する) rirīsu → p.85	release	发布／上线
		bàn giao	รีลีส/เปิดตัว/เผยแพร่
		mengirim pesanan	အပြီးသတ်ပေးပို့သည်

納期(のうき)までに　リリースが　できますか。
Can it be released by the deadline? / 交货日期之前能上线吗?
Bạn có thể bàn giao trước thời hạn giao hàng không?
สามารถรีลีสได้ทันกำหนดส่งมอบไหม
Apakah bisa mengirim pesanan sampai sebelum batas waktu pengiriman?
ပေးပို့ရန်နောက်ဆုံးရက်အထိ အပြီးသတ်ပေးပို့နိုင်မလား။

ソフトウェアやアプリケーションなどの製作(せいさく)が完成(かんせい)した製品(せいひん)を、顧客(こきゃく)に納品(のうひん)したり、ユーザーに公開(こうかい)したりすること。
Delivering to customers or making available to users products for which production is complete, such as software and applications.
将软件和 APP 等制作完成的产品交付给顾客或向使用者公开。
Là việc giao cho khách hàng hay ra mắt người dùng những sản phẩm đã sản xuất xong như phần mềm, ứng dụng, v.v...
หมายถึงการนำผลิตภัณฑ์ เช่น ซอฟต์แวร์หรือแอปพลิเคชัน ที่พัฒนาจนเสร็จสมบูรณ์แล้ว ไปส่งมอบให้ลูกค้าหรือเผยแพร่ต่อผู้ใช้
Produk seperti perangkat lunak atau aplikasi yang selesai dibuat dikirim kepada pelanggan atau diluncurkan kepada pengguna.
ဆော့ဖ်ဝဲ၊ အပ်ပလီကေးရှင်းဖန်တီးမှုပြီးဆုံးသွားသော ထုတ်ကုန်ကို၊ ဖောက်သည်ထံပေးပို့ခြင်း၊ အသုံးပြုသူထံ ထုတ်ဝေခြင်းတို့ဖြစ်သည်။

ユニット6

資料（しりょう）

Materials	资料
Tài liệu	เอกสารข้อมูล
Materi	စာရွက်စာတမ်း

□ 200	ようけんていぎしょ	requirements definition document	需求定义书
	要件定義書	tài liệu định nghĩa yêu cầu	เอกสารนิยามและเงื่อนไข
	yōken-teigisho → p.82	dokumen definisi persyaratan	လုပ်ဆောင်ချက်အသေးစိတ်ဖော်ပြလွှာ

もう　要件定義書を　書きましたか。
Have you finished writing up the requirements definition document? / 已经写好需求定义书了吗?
Bạn đã viết tài liệu định nghĩa yêu cầu chưa?
เขียนเอกสารนิยามและเงื่อนไขเสร็จแล้วหรือยัง
Apakah sudah menulis dokumen definisi persyaratan?
လုပ်ဆောင်ချက်အသေးစိတ်ဖော်ပြလွှာက ရေးပြီးသွားပြီလား။

□ 201	せっけいしょ	design	设计书
	設計書	tài liệu thiết kế	เอกสารการออกแบบ
	sekkeisho	dokumen desain	ပုံစံနှင့်လုပ်ဆောင်ပုံဖော်ပြလွှာ

設計書を　確認して　ください。
Check the designs. / 请确认设计书。
Hãy kiểm tra tài liệu thiết kế.
กรุณาตรวจสอบเอกสารการออกแบบด้วย
Periksalah dokumen desain.
ပုံစံနှင့်လုပ်ဆောင်ပုံဖော်ပြလွှာကို စစ်ဆေးပါ။

□ 202	がいぶせっけいしょ	exterior design	外部设计书
	外部設計書	tài liệu thiết kế bên ngoài	เอกสารการออกแบบภายนอก
	gaibu-sekkeisho	dokumen desain eksternal	အပြင်ပိုင်းပုံစံနှင့်လုပ်ဆောင်ပုံဖော်ပြလွှာ
□ 203	ないぶせっけいしょ	interior design	内部设计书
	内部設計書	tài liệu thiết kế bên trong	เอกสารการออกแบบภายใน
	naibu-sekkeisho	dokumen desain internal	အတွင်းပိုင်းပုံစံနှင့်လုပ်ဆောင်ပုံဖော်ပြလွှာ

□ 204	きほんせっけいしょ	base design	基本设计书
	基本設計書	tài liệu thiết kế cơ bản	เอกสารการออกแบบขั้นพื้นฐาน
	kihon-sekkeisho → p.82	dokumen desain dasar	အခြေခံပုံစံနှင့် လုပ်ဆောင်ပုံဖော်ပြလွှာ
□ 205	しょうさいせっけいしょ	detailed design	详细设计书
	詳細設計書	tài liệu thiết kế chi tiết	เอกสารการออกแบบรายละเอียด
	shōsai-sekkeisho → p.82	dokumen desain rinci	အသေးစိတ်ပုံစံနှင့် လုပ်ဆောင်ပုံဖော်ပြလွှာ
□ 206	しすてむせっけいしょ	system design	系统设计书
	システム設計書	tài liệu thiết kế hệ thống	เอกสารการออกแบบระบบ
	shisutemu-sekkeisho	dokumen desain sistem	စနစ်ပုံစံနှင့် လုပ်ဆောင်ပုံဖော်ပြလွှာ
□ 207	しようしょ	specification	规格说明书
	仕様書	bản thông số kỹ thuật	ใบสเปก
	shiyōsho	spesifikasi	အသေးစိတ်ဖော်ပြလွှာ/ specification

仕様書(しようしょ)で　機能(きのう)を　確認(かくにん)します。

I will check the functions on the specifications. / 通过规格说明书确认功能。

Tôi sẽ kiểm tra các chức năng bằng bản thông số kỹ thuật.

ตรวจสอบฟังก์ชันการทำงานจากใบสเปค

Saya memeriksa fitur menggunakan dokumen spesifikasi.

အသေးစိတ်ဖော်ပြလွှာ/ **specification**ဖြင့် လုပ်ဆောင်ပုံကို စစ်ဆေးပါမည်။

□ 208	しようへんこう	specification change	变更规格
	仕様変更	việc thay đổi thông số kỹ thuật	การเปลี่ยนสเปค
	shiyō-henkō	pengubahan spesifikasi	specificationပြောင်းခြင်း

すみませんが、今(いま)から　仕様変更(しようへんこう)は　難(むずか)しいです。

I am sorry, but it would be hard to change the specifications now. / 对不起，很难从现在开始变更规格。

Xin lỗi, nhưng từ bây giờ việc thay đổi thông số kỹ thuật là rất khó.

ขออภัย การเปลี่ยนสเปคในตอนนี้เป็นเรื่องยาก

Mohon maaf, pengubahan spesifikasi dari sekarang sulit dilakukan.

စိတ်မရှိပါနဲ့၊ အခုမှ အသေးစိတ်ဖော်ပြလွှာ/ **specification**ပြောင်းဖို့က ခက်ပါတယ်။

□ 209	てじゅんしょ	manual	程序手册
	手順書	tài liệu hướng dẫn quy trình	เอกสารลำดับงาน
	tejunsho	dokumen prosedur	runbook

ユニット 7

開発工程

かいはつこうてい

Development process / 开发工序

Quy trình phát triển / กระบวนการพัฒนา

Proses pengembangan / ပြုလုပ်ရေးသားမှုလုပ်ငန်းစဉ်

210	かいはつこうてい	development process	开发工序
	開発工程	quy trình phát triển	กระบวนการพัฒนา
	kaihatsu-kōtei	proses pengembangan	ပြုလုပ်ရေးသားမှုလုပ်ငန်းစဉ်
211	しすてむかいはつ	system development	系统开发
	システム開発	phát triển hệ thống	การพัฒนาระบบ
	shisutemu-kaihatsu	pengembangan sistem	စနစ်ပြုလုပ်ခြင်း
212	ぷろぐらむかいはつ	program development	程序开发
	プログラム開発	phát triển chương trình	การพัฒนาโปรแกรม
	puroguramu-kaihatsu	pengembangan program	ပရိုဂရမ်ရေးသားခြင်း
213	そふとうぇあかいはつ	software development	软件开发
	ソフトウェア開発	phát triển phần mềm	การพัฒนาซอฟต์แวร์
	sofutouea-kaihatsu	pengembangan perangkat lunak	ဆော့ဖ်ဝဲရေးသားခြင်း
214	おふしょあかいはつ	offshore development	离岸开发
	オフショア開発	ủy thác phát triển ở nước ngoài	การจ้างพัฒนาในต่างประเทศ
	ofushoa-kaihatsu	pengembangan offshore	offshore development

ソフトウェアは　タイで　オフショア開発(かいはつ)を　して　います。

We use offshore development in Thailand for our software. / 软件在泰国进行离岸开发。

Phần mềm đang được ủy thác phát triển ở nước ngoài, tại Thái Lan.

จ้างพัฒนาซอฟแวร์ในต่างประเทศที่ไทย

Perangkat lunak dikembangkan dengan pengembangan offshore di Thailand.

ဆော့ဖ်ဝဲကို ထိုင်းနိုင်ငံရှိကုမ္ပဏီ၌ဆော့ဖ်ဝဲရေးရန်အလုပ်အပ်ထားသည်။

☐ 215	にあしょあかいはつ	nearshore development	近岸开发
	ニアショア開発	ủy thác phát triển ở trong nước	การจ้างพัฒนาในต่างจังหวัด
	niashoa-kaihatsu	pengembangan nearshore	nearshore development
☐ 216	ぷろせす	process	过程
	プロセス	quy trình	กระบวนการ
	purosesu	proses	စနစ်တကျလုပ်ဆောင်မှု/ process
☐ 217	かいはつぷろせす	development process	开发过程
	開発プロセス	quy trình phát triển	กระบวนการพัฒนา
	kaihatsu-purosesu	proses pengembangan	ပြုလုပ်ရေးသားခြင်း စနစ်တကျလုပ်ဆောင်မှု
☐ 218	ぷろじぇくと	project	项目
	プロジェクト	dự án	โครงการ
	purojekuto	proyek	ပရောဂျက်
☐ 219	ぷろじぇくとかんり	project management	项目管理
	プロジェクト管理	quản lý dự án	การจัดการโครงการ
	purojekuto-kanri	manajemen proyek	ပရောဂျက်စီမံခန့်ခွဲမှု
☐ 220	しゅほう	method	方法
	手法	phương pháp	วิธีการ
	shuhō	metode	ဖန်တီးပုံ
☐ 221	かいはつしゅほう	development method	开发方法
	開発手法	phương pháp phát triển	วิธีการพัฒนา
	kaihatsu-shuhō	metode pengembangan	ပြုလုပ်ရေးသားဖန်တီးပုံ

☐ 222	ようけんていぎ **要件定義** yōken-teigi → p.82	requirement definition	需求定义
		định nghĩa yêu cầu	นิยามและเงื่อนไข
		definisi persyaratan	လုပ်ဆောင်ချက်အသေးစိတ်ဖော်ပြခြင်း

ＳＥの山下さんが、要件定義から詳細設計まで担当します。
SE Mr. Yamashita is in charge of processes from requirement definitions through detailed designs.
由 SE 的山下负责从需求定义到详细设计。
Ông Yamashita - SE sẽ phụ trách từ bước định nghĩa yêu cầu đến thiết kế chi tiết.
SE ชื่อคุณยามาชิตะ เป็นผู้รับผิดชอบตั้งแต่/เรื่องนิยามและเงื่อนไข/ไปจนถึงรายละเอียดการออกแบบ
Bapak Yamashita, teknisi sistem, menangani definisi persyaratan sampai desain rinci.
SEဖြစ်သောမစ္စတာယာမရှိတမှ လုပ်ဆောင်ချက်အသေးစိတ်ဖော်ပြခြင်းမှ အသေးစိတ်ဒီဇိုင်းပုံဖော်ခြင်းအထိ တာဝန်ယူပါမည်။

☐ 223	きほんせっけい／がいぶせっけい **基本設計／外部設計** kihon-sekkei/gaibu-sekkei → p.82	base design/ exterior design	基本设计／外部设计
		thiết kế cơ bản/ thiết kế bên ngoài	การออกแบบพื้นฐาน/ การออกแบบภายนอก
		desain dasar/ desain eksternal	အခြေခံပုံစံ/အပြင်ပိုင်းပုံစံ
☐ 224	しょうさいせっけい／ないぶせっけい **詳細設計／内部設計** shōsai-sekkei/naibu-sekkei → p.82	detailed design/ interior design	详细设计／内部设计
		thiết kế chi tiết/ thiết kế bên trong	การออกแบบรายละเอียด/ การออกแบบภายใน
		desain rinci/ desain internal	အသေးစိတ်ပုံစံ/ အတွင်းပိုင်းပုံစံ
☐ 225	ぷろぐらむせっけい **プログラム設計** puroguramu-sekkei → p.82	program design	程序设计
		thiết kế chương trình	การออกแบบโปรแกรม
		desain program	ပရိုဂရမ်ပုံစံ
☐ 226	もじゅーる **モジュール** mojūru	module	模块
		mô-đun	โมดูล
		modul	စနစ်ဖန်တီးသည့်လုပ်ဆောင်မှုအစိတ်အပိုင်း
☐ 227	かんきょう **環境** kankyō	environment	环境
		môi trường	สภาพแวดล้อม
		lingkungan	ပတ်ဝန်းကျင်

ユニット7 開発工程

□ 228	かいはつかんきょう **開発環境** kaihatsu-kankyō	development environment	开发环境
		môi trường phát triển	สภาพแวดล้อมการพัฒนา
		lingkungan pengembangan	ပြုလုပ်ရေးသားသည့် ပတ်ဝန်းကျင်

開発環境(かいはつかんきょう)で　テストしましたが、問題(もんだい)ありませんでした。
There were no problems during testing in the development environment.
在开发环境中进行了测试，没有问题。
Tôi đã kiểm thử trong môi trường phát triển và không có vấn đề gì.
ได้ทดสอบด้วยสภาพแวดล้อมการพัฒนาแล้ว ไม่พบปัญหา
Saya sudah melakukan uji di lingkungan pengembangan, dan tidak ada masalah.
ပြုလုပ်ရေးသားသည့်ပတ်ဝန်းကျင်တွင် စမ်းသပ်ကြည့်ခဲ့သော်လည်း ပြဿနာမရှိခဲ့ပါ။

□ 229	てすとかんきょう **テスト環境** tesuto-kankyō	test environment	测试环境
		môi trường kiểm thử	สภาพแวดล้อมการทดสอบ
		lingkungan uji	စမ်းသပ်ပတ်ဝန်းကျင်

□ 230	ほんばんかんきょう **本番環境** honban-kankyō	production environment	正式使用环境
		môi trường hoạt động thực tế	สภาพแวดล้อมการใช้งานจริง
		lingkungan produksi	လက်တွေ့အသုံးချ ပတ်ဝန်းကျင်

□ 231	じっそう **実装** (する) jissō → p.82	implement	安装
		triển khai	อิมพลีเมนต์
		mengimplementasi	လက်တွေ့အသုံးပြုသည်

今(いま)から　プログラムを　実装(じっそう)して　テストします。
I will implement and test the program next. / 现在开始安装程序进行测试。
Bây giờ, tôi sẽ triển khai và kiểm thử chương trình.
จะทำการอิมพลีเมนต์และทดสอบโปรแกรมตั้งแต่ตอนนี้
Dari sekarang, saya akan melakukan uji dengan mengimplementasi program.
အခုကစပြီး ပရိုဂရမ်ကို လက်တွေ့အသုံးပြုကာ စမ်းသပ်ကြည့်ပါမည်။

□ 232	こーでぃんぐ **コーディング** (する) kōdingu	code	编码
		mã hóa	การเขียนโค้ด
		melakukan coding	ကုဒ်ထည့်သွင်းသည်

モジュールの　コーディングが　終(お)わりました。
Coding of the module is complete. / 完成了模块的编码。
Đã hoàn thành mã hóa mô-đun.
เขียนโค้ดของโมดูลเสร็จแล้ว
Coding modul sudah selesai dilakukan.
စနစ်ဖန်တီးသည့်လုပ်ဆောင်မှုအစိတ်အပိုင်းထဲသို့ ကုဒ်ထည့်သွင်းပြီးပါပြီ။

□ 233	そーすこーど **ソースコード** sōsukōdo	source code	源代码
		mã nguồn	ซอร์สโค้ด
		kode sumber	အရင်းအမြစ်ကုဒ်/ source code

□ 234	かどう **稼動** (する) kadō	operate	运行
		hoạt động	ปฏิบัติการ
		beroperasi	operate လုပ်ဆောင်သည်

本番環境(ほんばんかんきょう)で　稼働(かどう)する　ことが　できました。
It was able to operate in a production environment. / 成功在正式使用环境中运行。
Đã có thể hoạt động trong môi trường làm việc thực tế.
สามารถปฏิบัติการในสภาพแวดล้อมการใช้งานจริงได้แล้ว
Ini dapat beroperasi dalam lingkungan produksi.
လက်တွေ့အသုံးချပတ်ဝန်းကျင်တွင် operate လုပ်ဆောင်နိုင်ခဲ့သည်။

□ 235	しょうがい **障害** shōgai	failure	故障
		sự cố	ความขัดข้อง
		gangguan	အတားအဆီး

通信(つうしん)で　障害(しょうがい)が　起(お)きました。
There was a problem in communication. / 在通讯上发生了故障。
Đã xảy ra sự cố trong việc truyền tín hiệu.
เกิดความขัดข้องในการสื่อสาร
Terjadi gangguan komunikasi.
ဆက်သွယ်မှုလမ်းကြောင်းတွင် အတားအဆီး ဖြစ်နေသည်။

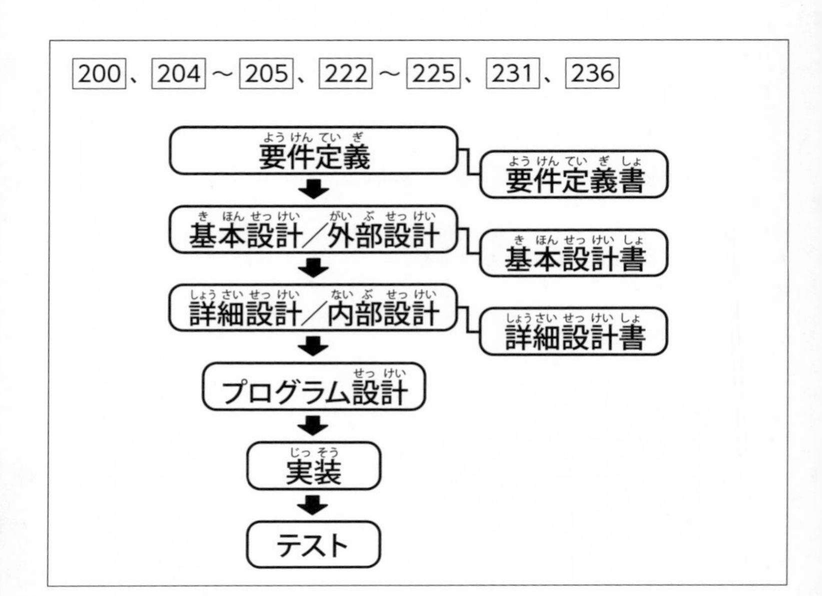
200、204～205、222～225、231、236
要件定義
要件定義書
基本設計／外部設計
基本設計書
詳細設計／内部設計
詳細設計書
プログラム設計
実装
テスト

ユニット 8

テスト

てすと

Test	测试
Kiểm thử	การทดสอบ
Uji	စမ်းသပ်မှု

□ 236	てすと **テスト** (する) tesuto → p.82	test	测试
		test/kiểm thử	ทดสอบ
		menguji	စမ်းသပ်သည်

テストを「試験(しけん)」と呼(よ)ぶこともあります。(「単体試験(たんたいしけん)」、「結合試験(けつごうしけん)」など)
A test may also be called "試験". (e.g., "単体試験," "結合試験")
有时把测试叫做"試験"。("単体試験"、"結合試験"等)
Test còn được gọi là kiểm thử "試験". ("単体試験", "結合試験", v.v...)
บางครั้งจะเรียกการทดสอบว่า "試験" ("単体試験", "結合試験" เป็นต้น)
Uji ada kalanya disebut "試験". ("単体試験", "結合試験" dsb.)
စမ်းသပ်ခြင်းကို "試験" ဟုလည်းခေါ်သည်။ ("単体試験"၊ "結合試験" စသည်)

□ 237	たんたいてすと／ぷろぐらむてすと **単体テスト／プログラムテスト** tantai-tesuto/puroguramu-tesuto → p.85	unit test/ program test	单元测试／程序测试
		test/kiểm thử đơn vị	การทดสอบระดับหน่วย/ การทดสอบโปรแกรม
		uji unit/ uji program	တစ်စိတ်တစ်ပိုင်း စမ်းသပ်မှု/ ပရိုဂရမ်စမ်းသပ်မှု

単体(たんたい)テストが　終(お)わってから　すぐ　結合(けつごう)テストを　しますか。
Should I start interface testing right after unit testing is complete?
单元测试结束后马上进行整合测试吗?
Bạn có thực hiện kiểm thử tích hợp ngay sau khi kết thúc kiểm thử đơn vị không?
เมื่อการทดสอบระดับหน่วยเสร็จสิ้นแล้ว จะทำการทดสอบระดับกลุ่มทันทีเลยไหม
Apakah uji integrasi segera dilakukan setelah selesai uji unit?
တစ်စိတ်တစ်ပိုင်းစမ်းသပ်မှုပြီးလျှင်ချက်ချင်း စုစည်းစမ်းသပ်မှုလုပ်မလား။

□ 238	けつごうてすと／とうごうてすと **結合テスト／統合テスト** ketsugō-tesuto/tōgō-tesuto → p.85	join test/ integration test	整合测试／集成测试
		test/kiểm thử tích hợp	การทดสอบระดับกลุ่ม/ การทดสอบรวมเป็นกลุ่ม
		uji interface/ uji integrasi	စုစည်းစမ်းသပ်မှု/ ပေါင်းစည်းစမ်းသပ်မှု

結合(けつごう)テストで　バグが　出(で)ました。

A bug was found in join testing. / 在整合测试中出现了漏洞。

Đã xuất hiện lỗi (bug) khi kiểm thử tích hợp.

เกิดบั๊กในการทดสอบระดับกลุ่ม

Terjadi kutu dalam uji integrasi.

စုစည်းစမ်းသပ်မှုတွင် အမှား (bug) ထွက်လာသည်။

□ 239	そうごうてすと／しすてむてすと **総合テスト／システムテスト** sōgō-tesuto/shisutemu-tesuto → p.85	general test/ system test	综合测试／系统测试
		test/kiểm thử hệ thống	การทดสอบระดับรวม/ การทดสอบทั้งระบบ
		uji keseluruhan/ uji sistem	ပေါင်းစည်းစမ်းသပ်မှု/ စနစ်စမ်းသပ်မှု

システムテストを　しましたが、問題(もんだい)ありませんでした。

There were no problems in system testing. / 进行了系统测试，没有问题。

Chúng tôi đã kiểm thử hệ thống và không có vấn đề gì.

ได้ทำการทดสอบทั้งระบบแล้ว แต่ไม่พบปัญหาอะไร

Kami telah melakukan uji sistem, dan tidak ada masalah.

စနစ်စမ်းသပ်မှုကို ပြုလုပ်ပြီးဖြစ်ပြီး၊ ပြဿနာမရှိခဲ့ပါ။

□ 240	うんようてすと **運用テスト** un'yō-tesuto → p.85	operation test	操作测试
		vận hành thử/chạy thử	การทดสอบการใช้งาน
		uji operasional	လက်တွေ့အသုံးပြုစမ်းသပ်မှု

運用(うんよう)テストの　次(つぎ)は　納品(のうひん)です。

The next step after operation testing is delivery. / 操作测试后交货。

Tiếp theo sau vận hành thử là giao hàng.

หลังทำการทดสอบการใช้งานแล้ว ก็จะเป็นการส่งมอบ

Setelah selesai uji operasional, akan dikirim.

လက်တွေ့အသုံးပြုစမ်းသပ်မှုပြီးပါက ပေးပို့ရပါမည်။

198、199、237～240

単体(たんたい)テスト／プログラムテスト
↓
結合(けつごう)テスト／統合(とうごう)テスト
↓
総合(そうごう)テスト／システムテスト
↓
運用(うんよう)テスト
↓
納品(のうひん)／リリース

241	すとれすてすと	stress test	压力测试
	ストレステスト	kiểm thử áp lực/ stress test	การทดสอบภาวะวิกฤต
	sutoresu-tesuto	uji stres	stress စမ်းသပ်မှု

ストレステストの　データは　どれを　使(つか)いますか。

What data should I use in stress testing? / 压力测试的数据用哪个?

Bạn sử dụng dữ liệu kiểm thử áp lực nào?

จะทดสอบภาวะวิกฤต โดยใช้ข้อมูลอันไหน

Data uji stres mana yang akan dipakai?

stress စမ်းသပ်မှု ဒေတာက ဘယ်ဟာကိုသုံးမလဲ။

242	ばぐ	bug	漏洞
	バグ	lỗi (bug)	บั๊ก
	bagu	kutu	အမှား/bug

テストで　バグが　見(み)つかりました。

A bug was found in testing. / 在测试中发现了漏洞。

Đã phát hiện lỗi (bug) khi kiểm thử.

พบบั๊กในการทดสอบ

Kutu ditemukan dalam uji.

စမ်းသပ်မှုတွင် အမှား (bug) တွေ့ရှိခဲ့သည်။

□ 243	えらー	error	错误
	エラー	lỗi	ข้อผิดพลาด
	erā	eror	error

運用テストで　エラーが　出ました。
An error was found in operation testing. / 在操作测试出现了错误。
Đã xuất hiện lỗi khi vận hành thử.
เกิดข้อผิดพลาดในการทดสอบการใช้งาน
Eror terjadi dalam uji operasional.
လက်တွေ့အသုံးပြုစမ်းသပ်မှုတွင် error ထွက်လာသည်။

□ 244	しゅうせい	correct	修正
	修正 (する)	sửa	แก้ไข
	shūsei	memperbaiki	ပြင်ဆင်သည်

プログラマーに　エラーの　修正を　お願いしました。
I asked a programmer to correct the error. / 委托程序员修正错误。
Tôi đã nhờ lập trình viên sửa lỗi.
ได้ขอให้โปรแกรมเมอร์แก้ไขข้อผิดพลาดแล้ว
Saya sudah meminta perbaikan eror kepada pemrogram.
ပရိုဂရမ်မာထံသို့ error ပြင်ဆင်ရန် တောင်းဆိုပြီးပါပြီ။

□ 245	でばっぐ	debug	调试
	デバッグ (する)	gỡ lỗi	ดีบั๊ก
	debaggu	mengawakutu	အမှားရှာဖွေစိစစ် ပြင်ဆင်သည်

プログラムの　デバッグを　行います。
I will debug the program. / 进行程序的调试。
Tôi sẽ gỡ lỗi trong chương trình.
ทำการดีบั๊กโปรแกรม
Saya akan mengawakutu program.
ပရိုဂရမ် အမှားရှာဖွေစိစစ်ပြင်ဆင်ခြင်းကို လုပ်ဆောင်ပါမည်။

□ 246	ばぐしゅうせい	bug fixing	修补漏洞
	バグ修正	sửa lỗi (bug)	แก้บั๊ก
	bagu-shūsei	memperbaiki kutu	အမှား (bug) ပြင်ဆင်သည်

すぐ　バグ修正が　できますか。
Can you fix the bug soon? / 能马上修补漏洞吗?
Bạn có thể sửa lỗi (bug) ngay lập tức không?
สามารถแก้บั๊กได้ทันทีหรือไม่
Apakah perbaikan kutu segera bisa dilakukan?
အမှား (bug) ပြင်ဆင်ခြင်းကို ချက်ချင်းလုပ်ပေးနိုင်မလား။

ユニット 9

シ(し)ス(す)テ(て)ム(む)運用(うんよう)

System operation
系统运用
Vận hành hệ thống
การใช้งานระบบ
Pengoperasian sistem
စနစ်လက်တွေ့အသုံးပြုခြင်း

□ 247	しすてむうんよう **システム運用** shisutemu-un'yō	system operation	系统运用
		vận hành hệ thống	การใช้งานระบบ
		pengoperasian sistem	စနစ်လက်တွေ့အသုံးပြုခြင်း
□ 248	ほしゅ **保守** (する) hoshu	maintain	保养
		bảo dưỡng	บำรุงรักษา
		memelihara	ပြုပြင်ထိန်းသိမ်းသည်
□ 249	ばっくあっぷ **バックアップ** (する) bakkuappu	back up	备份
		sao lưu	แบ็คอัพ
		melakukan backup	back up လုပ်သည်

データを　バックアップしましょう。
Back up the data. / 备份数据吧。
Hãy sao lưu dữ liệu.
กรุณาแบ็คอัพข้อมูล
Backuplah data.
ဒေတာကို back up လုပ်ပါ။

□ 250	どうき **同期** (する) dōki	synchronize	同步
		đồng bộ	ซิงค์ข้อมูล
		menyinkronkan	synchronize လုပ်သည်

クラウドと　端末(たんまつ)が　同期(どうき)して　いませんね。
The device is not synchronized with the cloud. / 云端和终端不同步啊。
Điện toán đám mây và thiết bị đầu cuối chưa được đồng bộ.
คลาวด์กับเครื่องเทอร์มินัลไม่ได้ซิงค์ข้อมูลกัน
Cloud dan perangkat tidak disinkronkan ya.
Cloud နှင့် တာမင်နယ် တို့ synchronize ဖြစ်မနေဘူးနော်။

□ 251	りれき	log	历史记录
	履歴	lịch sử	ประวัติ
	rireki	riwayat	နောက်ကြောင်းရာဇဝင်/ history

□ 252	ろぐ	log	日志
	ログ	nhật ký	ล็อก
	rogu	log	log

ログを　見(み)て　エラーを　確認(かくにん)しました。
I checked the log for errors. / 我查询日志了解程序错误。
Tôi đã xem nhật ký và kiểm tra lỗi.
ตรวจสอบข้อผิดพลาดโดยการดูล็อก
Saya memastikan eror dengan melihat log.
Log ကိုကြည့်ပြီး error ကိုစစ်ဆေးခဲ့သည်။

□ 253	さぽーと	support	支持
	サポート (する)	hỗ trợ	ซัพพอร์ต
	sapōto	mendukung	support လုပ်သည်

どの　製品(せいひん)も　24 時間(じかん)　サポートして　います。
We provide 24-hour support for all of our products. / 任何产品都提供 24 小时支持。
Bất cứ sản phẩm nào cũng đều được hỗ trợ 24 tiếng/ngày.
ไม่ว่าผลิตภัณฑ์ไหนก็ตาม มีการซัพพอร์ตตลอดทั้ง 24 ชั่วโมง
Anda dapat menerima dukungan selama 24 jam untuk semua produk.
ဘယ်ထုတ်ကုန်မဆို 24နာရီ support လုပ်ပေးနေပါတယ်။

□ 254	ふっきゅう	restore	恢复
	復旧 (する)	khôi phục	กู้คืน
	fukkyū	pulih	ပြန်ရသည်

サーバーが　復旧(ふっきゅう)しました。
We restored the server. / 服务器恢复了。
Máy chủ đã khôi phục.
กู้คืนเซิร์ฟเวอร์แล้ว
Servernya sudah pulih.
ဆာဗာ ပြန်ရပါပြီ။

□ 255	といあわせ **問い合わせ** toiawase	inquiry	咨询
		yêu cầu	การติดต่อสอบถาม
		pertanyaan	စုံစမ်းခြင်း

お客様(きゃくさま)から　問(と)い合(あ)わせが　ありました。
We've received an inquiry from a customer. / 收到客户的咨询。
Có yêu cầu từ khách hàng.
ได้มีการติดต่อสอบถามจากทางลูกค้า
Ada pertanyaan dari pelanggan.
Customer ထံမှ စုံစမ်းထားခြင်း ရှိသည်။

□ 256	かいとう **回答** (する) kaitō	respond	答复
		phản hồi	คำตอบกลับ
		menjawab	ပြန်လည်ဖြေကြားသည်

まだ　見積(みつ)もりの　回答(かいとう)が　来(き)て　いません。
We haven't yet received a response to the quote. / 还没有得到报价的答复。
Vẫn chưa nhận được phản hồi cho báo giá.
เรื่องการเสนอราคา ยังไม่ได้มีคำตอบกลับมาเลย
Jawaban taksiran belum sampai.
ဈေးနှုန်းကြာချိန်အကြောင်းကြားခြင်းစတဲ့ estimate အတွက် ပြန်လည်ဖြေကြားချက် မလာသေးပါ။

ユニット 10

作業（さぎょう）

Work	作业
Công việc	การปฏิบัติงาน
Pekerjaan	အလုပ်

257	かすたまいず **カスタマイズ** (する) kasutamaizu	customize	自定义
		tùy chỉnh	ปรับตามความต้องการ
		mengkustomisasi	စိတ်ကြိုက်ပြုလုပ်သည်

プログラムの　カスタマイズも　できます。
We can also customize programs. / 也可以自定义程序。
Bạn cũng có thể tùy chỉnh chương trình.
สามารถปรับโปรแกรมตามความต้องการได้ด้วย
Program bisa dikustomisasi.
ပရိုဂရမ်ကို စိတ်ကြိုက်ပြုလုပ်နိုင်သည်။

258	いんすとーる **インストール** (する) insutōru	install	安装
		cài đặt	ติดตั้ง
		menginstal	install လုပ်သည်

この　ソフトを　インストールして　ください。
Install this software. / 请安装这个软件。
Hãy cài đặt phần mềm này.
กรุณาติดตั้งซอฟต์แวร์นี้
Installah perangkat lunak ini.
ဒီဆော့ဖ်ဝဲကို install လုပ်ပါ။

259	にゅうりょく **入力** (する) nyūryoku	input/type	输入
		nhập	อินพุต
		menginput/ memasukkan	ရေးသွင်းသည်

日本語（にほんご）で　入力（にゅうりょく）する　ことが　できますか。
Can you type in Japanese? / 可以用日语输入吗?
Bạn có thể nhập bằng tiếng Nhật không?
อินพุตข้อมูลด้วยภาษาญี่ปุ่นได้ไหม
Apakah bisa menginput dalam bahasa Jepang?
ဂျပန်ဘာသာဖြင့် ရေးသွင်း တတ်ပါသလား။

□ 260	しゅつりょく 出力 (する) shutsuryoku	output	输出
		xuất	เอาต์พุต
		mengoutput/ mengeluarkan	ထုတ်သည်

データを　出力(しゅつりょく)して　ください。
Output the data. / 请输出数据。
Hãy xuất dữ liệu.
กรุณาเอาต์พุตข้อมูลด้วย
Outputlah data.
ဒေတာကို ထုတ်ပါ။

□ 261	けんさく 検索 (する) kensaku	search	搜索
		tìm kiếm	ค้นหา
		mencari	ရှာဖွေသည်

ここに　ことばを　入(い)れて　検索(けんさく)します。
Enter a word here and search for it. / 在这里输入词语进行搜索。
Nhập từ vào đây để tìm kiếm.
อินพุตคำที่นี่เพื่อทำการค้นหา
Pencarian dilakukan dengan memasukkan kata di sini.
ဒီနေရာတွင် စကားလုံးကိုထည့်ပြီး ရှာဖွေပါမည်။

□ 262	こうしん 更新 (する) kōshin	update	更新
		cập nhật	อัปเดต
		memperbaharui	အသစ်ပြင်သည်

ウェブサイトを　更新(こうしん)しました。
I updated the website. / 更新了网站。
Trang web đã được cập nhật.
ทำการอัปเดตเว็บไซต์แล้ว
Saya sudah memperbaharui situs web.
ဝက်ဘ်ဆိုဒ်ကို အသစ်ပြင်ခဲ့သည်။

□ 263	とうろく 登録 (する) tōroku	register	注册
		đăng ký	ลงทะเบียน
		mendaftar	စာရင်းသွင်းသည်

まず　ユーザーの　登録(とうろく)を　しなければ　なりません。
User registration is necessary first. / 首先必须进行用户的注册。
Trước tiên, bạn phải đăng ký người dùng.
ก่อนอื่นต้องลงทะเบียนผู้ใช้
Pertama-tama, Anda harus melakukan pendaftaran pengguna.
အရင်ဆုံး အသုံးပြုသူ စာရင်းသွင်းခြင်းကို လုပ်ဆောင်ရမည်။

264	さんしょう **参照**（する） sanshō	refer to	参照
		tham khảo	ดูประกอบ
		mengacu	ကိုးကားသည်

詳細(しょうさい)は　添付(てんぷ)ファイルを　参照(さんしょう)して　ください。
Please refer to the attachment for details. / 详细内容请参照附件。
Vui lòng tham khảo tệp đính kèm để biết chi tiết.
กรุณาดูรายละเอียดในไฟล์แนบประกอบ
Rincinya silakan mengacu file lampiran.
အသေးစိတ်ကို ပူးတွဲဖိုင်တွင် ကိုးကားပါ။

265	けんしょう **検証**（する） kenshō	verify	验证
		xác minh	ตรวจสอบ
		memverifikasi	အတည်ပြုသည်

すみません。すぐ　エラーを　検証(けんしょう)します。
I am sorry. I will verify the error right away. / 对不起。立即验证错误。
Xin lỗi. Tôi sẽ xác minh lỗi ngay lập tức.
ขออภัย จะทำการตรวจสอบข้อผิดพลาดทันที
Maaf. Saya akan segera memverifikasi eror.
တောင်းပန်ပါတယ်။ ချက်ချင်း error ကိုအတည်ပြုပါမယ်။

266	さくじょ **削除**（する） sakujo	delete	删除
		xóa	ลบ
		menghapus	ဖျက်သည်

古(ふる)い　メールを　削除(さくじょ)します。
I will delete old emails. / 删除旧邮件。
Tôi sẽ xóa các email cũ.
จะทำการลบอีเมลเก่า
Saya menghapus email lama.
မေးလ်အဟောင်းများကို ဖျက်ပါမည်။

267	せつぞく **接続**（する） setsuzoku	connect	连接
		kết nối	เชื่อมต่อ
		mengakses	ချိတ်ဆက်သည်

ネットに　接続(せつぞく)できませんでした。
I could not connect to the Internet. / 无法连接到网络。
Tôi không thể kết nối với mạng được.
ไม่สามารถเชื่อมต่อกับอินเทอร์เน็ตได้
Saya tidak bisa mengakses internet.
အင်တာနက်ဖြင့် ချိတ်ဆက်မရခဲ့ပါ။

□ 268	そうさ 操作 (する) sōsa	operate	操作
		thao tác	ควบคุมการทำงาน (เครื่อง,เครื่องจักร)
		mengoperasikan	လည်ပတ်သည်

この　機械は　タブレットで　操作します。
Operate this machine using a tablet. / 这台机器用平板电脑操作。
Máy này được thao tác bằng máy tính bảng.
เครื่องจักรนี้ควบคุมการทำงานด้วยแท็บเล็ต
Mesin ini dioperasikan dengan tablet.
ဤစက်ကို တက်ဘလက်ဖြင့် လည်ပတ်ပါမည်။

□ 269	にんしょう 認証 (する) ninshō	authenticate	认证
		xác thực	รับรองความถูกต้อง
		mengonfirmasi	မှန်ကန်ကြောင်း အတည်ပြုသည်

パスワードが　認証できませんでした。
The password could not be authenticated. / 密码无法认证。
Không thể xác thực mật khẩu.
ไม่สามารถรับรองความถูกต้องของรหัสผ่านได้
Kata sandi tidak terkonfirmasi.
စကားဝှက်ကို မှန်ကန်ကြောင်းအတည်မပြုနိုင်ခဲ့ပါ။

□ 270	ほぞん 保存 (する) hozon	save	保存
		lưu	เก็บบันทึก
		menyimpan	သိမ်းသည်/save သည်

新しい　フォルダーに　データを　保存しました。
I saved the data in a new directory. / 已将数据保存到新文件夹。
Đã lưu dữ liệu vào thư mục mới.
ได้เก็บบันทึกข้อมูลลงในโฟลเดอร์ใหม่แล้ว
Data sudah disimpan di folder baru.
Folderအသစ်ထဲတွင် Dataကို save လိုက်သည်။

□ 271	こうちく 構築 (する) kōchiku	build	建立
		xây dựng	สร้าง
		membangun	တည်ဆောက်သည်

新しい　システムを　構築しました。
We built a new system. / 建立了新的系统。
Chúng tôi đã xây dựng hệ thống mới.
เราได้สร้างระบบใหม่ขึ้นมา
Kami sudah membangun sistem baru.
Systemအသစ်ကို တည်ဆောက်ခဲ့သည်။

☐ 272	いじ	maintain	维持
	維持 (する)	duy trì	ดูแลรักษา
	iji	mempertahankan	ထိန်းသိမ်းသည်

メンテナンス部(ぶ)で　サーバーの　維持(いじ)と　保守(ほしゅ)を　行(おこな)って　います。
The Maintenance Department maintains and services the servers. / 由维修部维持和保养服务器。
Bộ phận bảo trì đã tiến hành duy trì và bảo dưỡng máy chủ.
ฝ่ายซ่อมบำรุงกำลังดำเนินการบำรุงและดูแลรักษาเซิร์ฟเวอร์
Bagian Pemeliharaan mempertahankan dan memelihara server.
Maintenance Department တွင် Server ကို ထိန်းသိမ်းခြင်းနှင့်ပြုပြင်ထိန်းသိမ်းခြင်းကို လုပ်ဆောင်နေသည်။

☐ 273	うんよう	operate	运用
	運用 (する)	vận hành	ใช้งาน
	un'yō	mengoperasikan	လက်တွေ့အသုံးပြုသည်

今日(きょう)から　新(あたら)しい　システムを　運用(うんよう)します。
The new system will begin to operate today. / 从今天开始运用新系统。
Hệ thống mới sẽ được vận hành từ hôm nay.
จะใช้งานระบบใหม่ตั้งแต่วันนี้
Mulai hari ini, sistem baru akan dioperasikan.
ယနေ့မှစ၍ Systemအသစ် ကို လက်တွေ့အသုံးပြုပါမည်။

☐ 274	せんい	go	迁移
	遷移 (する)	chuyển sang	เปลี่ยนถ่าย
	sen'i	beralih	ကူးပြောင်းသည်

次(つぎ)の　ページに　遷移(せんい)しました。問題(もんだい)ありませんね。
It went to the next page, and there was no problem, was there? / 迁移到了下一页。没有问题吧。
Đã chuyển sang trang tiếp theo. Không có vấn đề gì.
เปลี่ยนถ่ายไปหน้าถัดไปแล้ว ก็ไม่มีปัญหาอะไรนะ
Sudah beralih ke halaman berikut. Tidak ada masalah ya.
နောက်တစ်မျက်နှာသို့ ကူးပြောင်းလိုက်တယ်။ ပြဿနာမရှိပါဘူးနော်။

ユニット 11

Eメール（いーめーる）

Email	电子邮件
E-mail	อีเมล
Email	E မေးလ်

275	めーる **メール** mēru	email	邮件
		e-mail	อีเมล
		email	မေးလ်

今朝（けさ） メールを 送り（おくり）ましたが、もう 見（み）ましたか。
I sent you an email this morning. Have you read it? / 今天早上发送了邮件，你已经看到了吗?
Tôi có gửi e-mail cho bạn sáng nay, bạn đã xem chưa?
ฉันส่งอีเมลไปเมื่อเช้านี้ คุณดูหรือยัง
Tadi pagi, saya sudah mengirim email. Apakah sudah dibaca?
ဒီနေ့မနက် မေးလ်ပို့လိုက်တာ၊ ကြည့်ပြီးပြီလား။

276	めーるあどれす **メールアドレス** mēru-adoresu	email address	邮箱地址
		địa chỉ e-mail	อีเมลแอดเดรส
		alamat email	မေးလ်လိပ်စာ

すみませんが、メールアドレスを 教え（おしえ）て ください。
Excuse me, but what is your email address? / 劳驾，请告诉我邮箱地址。
Xin lỗi, vui lòng cho tôi biết địa chỉ e-mail của bạn.
ขอโทษนะ กรุณาบอกที่อยู่อีเมลแอดเดรสของคุณด้วย
Maaf, mohon beritahu alamat email Anda.
ကျေးဇူးပြုပြီးမေးလ်လိပ်စာလေး ပြောပြပေးပါ။

277	そうしん **送信（する）** sōshin	send	发送
		gửi	ส่ง
		mengirim	ပေးပို့သည်

送信（そうしん）する 前（まえ）に 添付（てんぷ）ファイルを 確認（かくにん）しましょう。
Check attachments before sending. / 发送之前请确认一下附件。
Hãy kiểm tra tệp đính kèm trước khi gửi.
กรุณาตรวจสอบไฟล์แนบก่อนทำการส่ง
Periksalah file lampiran sebelum dikirim.
မပေးပို့ခင် ပူးတွဲဖိုင်/attachment ကို စစ်ဆေးအတည်ပြုပါ။

278	へんしん **返信** (する) henshin	reply	回信
		trả lời	ตอบกลับ
		membalas	အကြောင်းပြန်သည်

お客様(きゃくさま)に　すぐ　メールを　返信(へんしん)して　ください。
Reply quickly to email from customers. / 请马上给顾客回邮件。
Hãy trả lời e-mail cho khách hàng ngay lập tức.
กรุณาตอบกลับอีเมลหาลูกค้าทันที
Tolong segera membalas email kepada pelanggan.
Customer ထံ ချက်ချင်း မေးလ်ဖြင့် အကြောင်းပြန်ပါ။

279	てんそう **転送** (する) tensō	forward	转发
		chuyển tiếp	ส่งต่อ
		meneruskan	forwardလုပ်သည်

その　メールを　転送(てんそう)して　ください。
Forward the email. / 请转发那封邮件。
Hãy chuyển tiếp e-mail đó.
กรุณาส่งต่ออีเมลฉบับนั้นด้วย
Tolong teruskan email itu.
ဒီမေးလ်ကို Forward လုပ်ပါ။

280	てんぷ **添付** (する) tenpu	attach	附加
		đính kèm	แนบ
		melampirkan	ပူးတွဲသည်/ attach လုပ်သည်

資料(しりょう)の　添付(てんぷ)を　忘(わす)れました。失礼(しつれい)しました。
I forgot to attach the document. I'm sorry. / 我忘记附加资料了。对不起。
Tôi đã quên đính kèm tài liệu. Thật xin lỗi.
ฉันลืมแนบเอกสาร ขออภัย
Saya lupa melampirkan materi. Mohon maaf.
စာရွက်စာတမ်းတွေကို attach လုပ်ဖို့ မေ့သွားပါတယ်။တောင်းပန်ပါတယ်။

281	てんぷふぁいる **添付ファイル** tenpu-fairu	attachment	附件
		tệp đính kèm	ไฟล์แนบ
		file terlampir	ပူးတွဲဖိုင်/ attachment

添付(てんぷ)ファイルを　開(ひら)いて　ください。
Open the attachment. / 请打开附件。
Hãy mở tệp đính kèm.
กรุณาเปิดไฟล์แนบ
Silakan membuka file terlampir.
ပူးတွဲဖိုင်/attachment ကို ဖွင့်ပါ။

索引（さくいん） Index 索引
Tra cứu ดัชนีคำศัพท์
Indeks အညွှန်း

著者　一般財団法人 海外産業人材育成協会（AOTS／エーオーティーエス）
The Association for Overseas Technical Cooperation and Sustainable Partnerships

執筆者　杉山充　AOTS総合研究所 グローバル事業部　日本語教育センター長
清水美帆　AOTS総合研究所 グローバル事業部　日本語教育センター

協力者　内海陽子、大神隆一郎、熊谷昌樹、志村拓也、常次亨介、平野貴昭、宮本真一

協力企業　NTTデータシステム技術株式会社、株式会社システムエグゼ、株式会社シュア、ソリマチ株式会社、パーソルテクノロジースタッフ株式会社、モバイルクリエイト株式会社

イラスト　株式会社アット イラスト工房

装丁・本文デザイン　梅津由子

ゲンバの日本語　単語帳　ＩＴ
働く外国人のためのことば

2022年1月20日　初版第1刷発行

著　者　一般財団法人 海外産業人材育成協会
発行者　藤嵜政子
発　行　株式会社スリーエーネットワーク
〒102-0083　東京都千代田区麹町3丁目4番
トラスティ麹町ビル2F
電話　営業　03（5275）2722
編集　03（5275）2725
https://www.3anet.co.jp/
印　刷　萩原印刷株式会社

ISBN978-4-88319-901-3　C0081